早く絶版になってほしい

#駄言辞典

日経xwoman編

日経BP

人の自由やん、と思います。「女の子／男の子＝これ！」というステレオタイプは滅ぼすべきです。
（京都府・はるか・20代・女性）

「女性ならではの細やかな気
「女性特有の繊細な感性」
（ツイッター

「ダンナに稼いでもらえばいいじゃない」。子どもが医学部に進学して教育費がかかるから昇給して、と抗議したら言われた。
（東京都・爆睡熊子・50代・女性）

「女性の中では評価が高いよ」と
言われた。私が男性だったら同し
ももっと評価が高いってことです
性別問わず仕事の内容で評価して
（東京都・キタ・30代

「保育園？ 3歳までは母親が育てたほうがいいと思うけどねぇ」
（ツイッターより）

ほうがおいしいか
支店で、女の私だ
んて関係あるか。
どん・20代・女性）

「あなたたち（女性2人）の色気があれば契約バン
ン取れるね！」と言われた。仕事の土俵に上がっ
ないと見られているのかと絶望した。
（ツイッターよ

「女の子はお嫁に行くから」。私たちは家庭の奴隷になるために生まれたんじゃない。一人の人間だ。
（ツイッターより）

「女性は子を産む機械」。過去の厚生労
機械じゃない。人間だ。これを厚生労働
たことに、当時大変ショックを受けた

って、女に提案されたら『いいよ、いいよ』と言うもんだよ」。
社長への提案が実り、実施に至った成果を自社の役員勉強会
したら、そこにいた男性役員に言われた一言。しかも、拍手
後、会がお開きになってみんな退室するときに、去り際にわ
私の前を横切りながらささやかれた。顔見とくんだった。一
ない。
（東京都・ポエム・50代・女性）

「女性は能力だけじゃなくて、や
かんだみたいなかわいらしさが
それが女性社員に求めること？
（ツイ

から」。

して機能しない年齢に
ます？ 辞退しました。
（ツイッターより）

料理や掃除をする女性を見て
「いいお嫁さんになるね」。
・相手が異性愛者であることの決め付け
・相手に結婚願望があるという思い込み
・「家事＝女の仕事」という偏見
・赤の他人を「いい」「悪い」と勝手にジャッジする傲慢さ
の全部が入っている最低レベルの駄言。
（ツイッターより）

「女は愛

に子どもを預ける」。
ってなんだ？？？
（ツイッターより）

「あいつ時短だから使えないんだよな」。以前の職場で上司が同期の女

「女性が働き
職場」。育休産
のは女性だけ。

女性に向かってビジネスの場で「女の子」と呼ぶこと。商談中に「ちょっとそこの女の子…」はナシだと思う。

（ツイッターより）


「女性がお茶を出すと味が違うし、顧客に喜ばれるからね」。女性社員ばかりお茶出し当番があることに異論を唱えた際に上司に言われた言葉。ホステスじゃねーし。

（ツイッターより）


女の子なんだから（机の上の）ゴミ片付けないと」。自分のゴミじゃないのに上司に言われました。確かに気が利かなかったけど、ちょっといっとしました。普通に「片づけてほしい」と言ってほしかったです。

（神奈川県・ひーさん・20代・女性）

「イクメン」→父親なんだから育児は当んだからそんなことで泣かないの」→だのを性別を理由に我慢させなくてよい
（東京都・るーしー

那さん帰ってくご飯用意しなくて」

（ツイッターより）


「じゃあ、専業主婦になったんだね。おめでとう」。子育ての期間も自分のペースで働けるように、わざわざ起業したのですが、残念な反応でした。

（千葉県・やす・40代・女性）


「あなたはお茶くみしてね、女ら」。同期（男性）と2人で新けお茶くみを命じられた。お茶

の敵は女」「女は陰湿」々しい」「姦しい」「売残り」「女の腐ったよな」
（ツイッターより）

「女なんだから結婚して辞めちゃうんだろ。辞めちゃえよ」。

以前の会社の男性上司に言われた一言。ガッカリするやら憤慨するやら…、非常に感情がかき乱された覚えがあります。実際に男性が9割、既婚で子持ちの女性はいないマッチョな職場でした。

この発言を聞いて「そうですね。あなたみたいな価値観の人が多数いる職場で、結婚して家庭を持ってからも働く未来を描くのは難しいですね」と思い、さっさと見切りをつけ、働きやすい会社に転職できたのでよかったかもしれないです……。

（宮城県・かや・30代・女性）


「男だけでディズニー（自虐トーンで）」。すべての属性の人に対して失礼。

（ツイッターより）


が熱を出し、急に有休を申請した際、「男が休み意味があるの？」と女性の先輩から言われまは看病できますが、何か？

（福岡県・団体職員は駄言だらけ・30代・男性）


「女性は職場の華だから、年を取ったら若い就活中、3次面接で言われました。

私たち女性は華になるために採用されるんなったら捨てられるんですか？ 3次の面接

してチャレンジした男だからチャレンジ女はチャレンジし・しなくていいといイアスがなかったらこない言葉。

（ツイッターより）


「若くてきれいなんだからニコニコしてなよ」「今、彼氏いなかったら結婚できないよ」

（ツイッターより）


「男／女はそういう生き物だから」「男はバカな生き物だから」「すてきなキッチン！ 奥様が喜びそうですね」

（ツイッターより）


「○○君も、女性に負けてらんないよ！」。女性だからじゃ

【駄言・だげん】とは

「女はビジネスに向かない」のような思い込みによる発言。
特に性別に基づくものが多い。
相手の能力や個性を考えないステレオタイプな発言だが、
言った当人には悪気がないことも多い。

まえがき

2020年11月、日本経済新聞は紙面で、ある呼びかけをしました。

心を打つ「名言」があるように、
心をくじく「駄言」（だげん）もある。
「＃駄言辞典」を付けて、駄言にまつわる
エピソードをつぶやいてください。
まとめたものは、絶版を目指して出版します。

日本経済新聞社と日経BPは日本社会の多様性を阻むステレオタイプを撲滅するために、日経ウーマンエンパワーメントプロジェクトの一環として、新聞広告を通じてNIKKEI UNSTEREOTYPE ACTIONを展開しています。この『＃駄言辞典』は、そのアクションの一つとして始まりました。私たちはまず、古いステレオタイプによって生まれたひどい発言を「駄言」と名付け、募集しました。どんな発言が駄言なのか、その発言の何が問題なのかを明らかにすることで、学びに変えたいと考えたのです。

募集が始まると瞬く間に、想像を超える量の駄言が集まり、世の中にはびこる多種多様な駄言の存在が明らかになりました。駄言とともに書かれていたのは、発言に対する怒りや悲しみ、憤り。ひどいことを言われても、その場で「間違っている」と言い返せず、ずっと我慢してきた人たちの思いが、タイムラインで爆発しているようでした。この本の第1章では、そんなひどい発言がなかったことにならないように特に投稿が多かったものなどを中心に、「女性らしさ」「キャリア・仕事能力」「生活能力・家事」「子育て」「恋愛・結婚」「男性らしさ」の6つのカテゴリに分けて書き留め、解説を加えています。

また、第2章では、キーパーソン6人に駄言についてインタビューした内容も紹介します。それらを基に、第3章では駄言との向き合い方を考察します。

さまざまな角度から駄言について考えるこの本は、駄言を言われた人だけでなく、駄言を言ってしまった人や、言っていないか心配な人にも役立つ一冊になるはずです。なぜなら駄言は、無意識の思い込みによって生まれる言葉。発言した本人に悪気はなく、むしろその場の空気を明るくするためだったり、相手のためによかれと思って言ったことが駄言になってしまうことが多いのです。悪いのは人ではなく、育ってきた環境や教育などによって植えつけられたステレオタイプ。世の中の常識や価値観が時代とともにどう変化しているのかを知り、自分も変わろうという意思を持つことさえできれば、駄言を言ってしまう可能性は一気に下がると思います。

ぜひ、この『#駄言辞典』を友人・知人・家族・同僚など、皆さんで読んでください。たくさんの人の理解が深まれば、ステレオタイプに縛られない、一人ひとりの自分らしさが尊重される社会に近付くはずです。そしていつか、この『#駄言辞典』が必要なくなり、絶版となることが私たちの目標です。

2020年11月27日付日本経済新聞朝刊掲載

（※本書に掲載している情報は、すべて2021年5月時点のものです。）

01

実際にあった「駄言」リスト

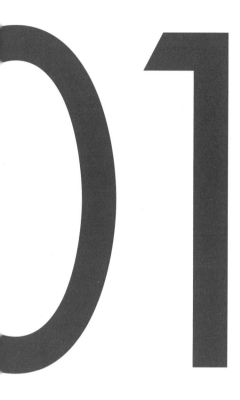

駄言カテゴリ

「女性らしさ」

就活は

スカートで…

「就活は女性らしくスカートで」

ツイッターとウェブ上フォーマットに投稿された駄言は合計約1200個。特に目立ったのは「女性らしくない」「女のくせに」といった性別による行動規範に関する駄言でした。

「女性は女性らしく振る舞うべきだ」という考え方を時代錯誤と感じる人は多いでしょう。しかし、これは「嫌な発言なのでやめてほしい」というモラルやマナーの話にとどまらないテーマです。さまざまな資料を探っていくと、この問題が日本の社会全体や法律の歴史にも根ざしていることが分かってきます。私たちは、そのことにまず気付く必要があるのです。

さて、日本の社会に、「女性は女性らしく、男性は男性らしく」というジェンダー規範が広く浸透したのは、いつ頃からなのでしょうか。

「女らしさ」を準備した背景の一つに、1871年（明治4年）に制定された戸籍法や1898年（明治31年）に交付・改編された旧民法があります。戸籍を編成するに当たり、明治政府は父親とのつながりを重視しました。また、154ページでも触れますが、旧民法で定められた家制度によって、妻は結婚すると夫の家に入り、その家の姓を名乗るなど、男性が権力を持つような社会構造がつくられたのです。それと同時に「良妻賢母教育」が進められ、女性の行動が制限され、「女らしさ」が押し付けられるようになったと考えられます（参考：『女性差別はどう作られてきたか』集英社新書）。

第2次世界大戦後、日本国憲法の第24条には「両性の平等」が定められたものの、社会における性別役割分業の構造は残りました。また、日本社会には家族的な考えを会社に持ち込む傾向があるため、これが職場における性別役割分業にもつながったと考えられます。

さらに、高度経済成長期の間、日本では生産性を向上させるために男性は会社で長時間働き、女性は家で家事や育児を担うというライフスタイルが前提とされました。家庭や学校、社会においても、女性と男性は性別で分けられ、「女性らしい」または「男性らしい」振る舞いや考え方が推奨されることが続いたのです。

しかし、そうした高度経済成長期は幕を閉じ、今、日本は人口減少、経済縮小の局面を迎えています。今日求められているのは、性別役割分業の意識を払拭し、従来の固定観念を打ち壊して、新しい価値を創造する、多様性のある社会をつくることです。

また、近年では性的マイノリティのLGBTQや多様性を尊重する考え方も広まっています。2021年3月、札幌地方裁判所が「同性婚を認めないのは違憲」とする判断を示したこともその一例です。

私たちは「女性・男性」という2つの枠組みに可能性を押し込めるという固定観念に別れを告げ、一人ひとりがもっと自由に伸び伸びと「自分らしさ」を発揮し、新たな価値を創造していく時代に突入していると言えます。

就職活動の場においても、その流れが見えます。従来の就職活動で、女性は「女性らしさ」の象徴であるスカートのリクルートスーツを着用し、髪形や持ち物も画一的なスタイルにすることが推奨されていました。しかし、最近では「女性らしい」スタイルに縛られることなく、「自分らしい」服装や髪形、メイクを許容する、また、業界によっては歓迎さえするという、新しい流れが生まれています。

このように、誰もが性別に縛られず、自分らしい選択ができるようになれば、社会はこれまでよりも生きやすいものになるはずです。

「あの子、黙ってればモテるのになー」

（ツイッターより）

「しゃべらなければ、きれいなのに」

うっせー！ しゃべらせろ！（ツイッターより）

「若くてきれいなんだから
ニコニコしてなよ」

（ツイッターより）

「女を捨てる」

自虐もアウト。（ツイッターより）

「女を捨てる」

メイクやおしゃれや美容に興味がなかったりすごい大食いとか大酒飲みの女性が言われがちなやつ。いつもきれいでかわいくあることを意識して、食も細くてお酒もたしなむ程度じゃなきゃ女じゃないのかよ、て思う。（ツイッターより）

「かわいい」「やせてる」

こっちの気も知らないで一見ポジティブワードに聞こえる見た目に関する言葉をぶしつけに使うやつマジ滅んでくれ……。こちとら容姿に関しては言ったやつ釘バットで殴りつけたくなるくらいコンプレックス地雷原なんじゃ……。

（ツイッターより）

「男みたいな女だな」

親から言われた。

（ツイッターより）

「女子力」

ティッシュを持ち歩く人と性別は関係ないんだわ。

（ツイッターより）

「今度の新人、女性だから女子会を開催してください」

男性管理職から、職場に数人いる女性社員に一斉送信されたメール。気を利かせているつもりらしいが「少数だし弱い立場だからまとまっておけ」とマウンティングされている気分になった。「女性のことは女性たちでよろしく」という意識が、性別を超えた理解を遠ざけていると思う。

（神奈川県・アビ・30代・女性）

「女の子に学つけてもね……」

（ツイッターより）

「女の子だからそんなに勉強頑張らなくてもいいよ」

（ツイッターより）

「女のくせに、大学行きたいなんて言うな！女は高卒でよい！」

当時高校1年生だった頃、実父に進路の話をして言われた言葉。20年たった今でも、この言葉をどこかで踏み台にしながら生きている。
（神奈川県・あのっぴ・40代・女性）

「女の子が大学に行っても仕方がない。短大で十分」

娘さんがいる女性に言われてびっくりした。
（ツイッターより）

「（勉強ができる女子生徒に）男の子に生まれればよかったのに」

「そんなに勉強ばかりしていたら自分より学歴／収入の高い人としか結婚できなくなるよ」

呪いの言葉にあふれる故郷だった。

#モドラネーゼ 上等

（ツイッターより）

「女が大学行って勉強する必要ある？女は結婚して専業主婦になるのが一番なんだからさ」

田舎の親戚から言われた。（ツイッターより）

「女性で博士号取得なんてモテないよ〜」

（ツイッターより）

「背が高い頭がいい酒の強いはっきりものを言う女はモテないよ」

全部言われたことあるわ。モテたいなんて言ってないのに一方的に見下してくるの本当無理。そしてそれはモテる女じゃなくて男が支配しやすい女だよね??

（ツイッターより）

「女なんだから飯くらい作れないとまずいだろ！」

父親から、熱出して寝てた私が言われた言葉。わが家は当時、母が他界し、父親は実は家事も洗濯も一人で問題なくできるという前提。「女だから」とは何事か。「女は家事をやるために生まれた」と言いたいのか？怒鳴りましたとも！

（ツイッターより）

「彼女には女の子らしくいてほしい」

（ツイッターより）

「才色兼備」

（ツイッターより）

「あ～怒鳴ってるよ、女のヒステリーはいやだねぇ」

男が怒鳴ってもヒステリーって言われないのに？（ツイッターより）

「女の子がそんなに太っちゃダメだよー」「女の子はちょっとぽっちゃりしてるほうがかわいいよ」

どっちも他人が指図することじゃない。（ツイッターより）

「ちょっと太ったんちゃうか？」「食い過ぎちゃうか？」

会社の結構、上の人から。お返しに、「ちょっとハゲてきたんちゃいます？」「老けすぎちゃいます？」とか言っても許されるってことでいいですよね。（ツイッターより）

「女の敵は女」「女同士は陰湿」「女は感情的」

三大「そろそろ滅びよっか」な言葉。（ツイッターより）

「女性が多い職場って、もめ事が起きやすそう」

男性の多い職場なので女性に慣れてないと恐怖に感じるようです。もめ事の起きやすさに性別は関係ないですよ。（ツイッターより）

「女性は体力がない」

女性で体力ある人もいる。男性で体力がない人がいる。ひとくくりにはしてはいけない。

（ツイッターより）

「女の子に重いもの持たせちゃダメだろ、ちゃんと持ってやれよ」

（ツイッターより）

「女の子でも分かる」

女の子が女性や女であったり、表現は様々だが。男性生殖器に関する身体感覚は確かに分からない。ただそれだけだ。

（ツイッターより）

「女性も食べやすいサイズになりました！」

（ツイッターより）

「女性にうれしい」

グルメ番組などでヘルシーな料理を表現するやつ。健康を気にしてるのは女性だけ？

（ツイッターより）

「女性ならではの感性」
「女性ならではの細かい心配り」
「女性らしいしなやかさ」

（ツイッターより）

「女はすぐ豹変するぞ」

（ツイッターより）

「女はすぐに泣くんだよな」

私は職場で泣いたことは一度もないが、男性だらけの管理職会議の場では、よく出る発言。

（ツイッターより）

「女々しい」

（ツイッターより）

「女性はいくらでも嘘をつける」

ある国会議員が、暗に性被害当事者へ「その被害はなかったのではないか？ 本当なのか？」と発言。

（ツイッターより）

「おまえの体は俺のものだろ!」

私の体は私のものです。（ツイッターより）

「男を立てろ」

女に立たせてもらわないと立てないのか笑。（ツイッターより）

「女は三歩下がって歩け」

（ツイッターより）

「男の人にはやたらと噛み付いてはダメ。手のひらで転がせるようになってこそ、女として一人前」

母から言われた。転がしませんよ? 蹴りぶっこむチャンスは狙ってるけど。（ツイッターより）

「ヘエ…それ彼氏の影響？」

「女らしさ」は行動規範のみならず、趣味の選択や好みにも大きく影響します。例えば、出産祝いを用意するとき、生まれた赤ちゃんが女の子なら、無意識にピンク色の品物を選びがちです。また、女の子の遊びといえば、人形遊びやおままごと。ヒーローごっこやボール遊びは男の子の遊びというイメージを持ってしまう人が多いのではないでしょうか。そして、ランドセルの人気色といえば、女子はピンクや紫、赤、男子は黒、紺、青だと想像がつき、実際にそれらが上位にランクインしています。

親がどんなに固定観念にとらわれずに子どもを育てようとしても、保育園・幼稚園や学校に通ったり、テレビ・ウェブ・本などから情報を取り入れたりする中で、子どもも親も、知らな

「彼氏の影響?」

特撮ヒーローが好きだと言うと言われる。その架空の「彼氏」はどこから出てきたんだ??私「が」好きなんだよ。普通に「何がきっかけで好きになったの?」って聞いてほしい。人生行き詰まってたときに「仮面ライダー鎧武」見て救われたからだよってちゃんと答えるから。(ツイッターより)

いうちに影響を受けてしまうのです。

右のイラストは、ある女性がツイッター経由で投稿した駄言を基に作成したもの。この女性が好きなのは「特撮ヒーロー」。それが好きだと言うたびに、周りからは「それって男性の趣味だよね。彼氏の影響?」と、決めつけられてばかりだそう。女性にだって、釣りやドライブ、筋トレなど、これまでは男性向けとされがちだった趣味を好む人はたくさんいます。性別などによるイメージにとらわれず、自分の好きなものを「これが好き」と言える社会になることを祈ります。

「やっぱり服はピンクじゃないと」

娘が生まれたときに言われた。何色着てもいいよね？（ツイッターより）

「女の子なのに青色が好きなの？」

（ツイッターより）

「女の子だから、お人形遊び好きなんだね」（ツイッターより）

「女の子なのに仮面ライダーが好きなの⁉ 気持ち悪ーい！」

子どもから子どもへの駄言。（ツイッターより）

「やだわー、女の子なのにミニカー好きなんて！」

え？　乗り物って面白いじゃん。人形も好きだけど、ミニカー好きもあっていいでしょ？
（ツイッターより）

「え、女なのにスター・ウォーズ好きとか無理。きもっ！うわー完全に引いたわ。今日もう俺帰っていい？」

デート中に好きな映画の話になり、スター・ウォーズが好きだと言うので自分もだと伝えたときの相手の反応。なぜ女だとダメなのか聞いたら「男の映画だから、男はいいんだよ！」と。
（ツイッターより）

「女の子なんだから、お花の種類くらい知ってなさい」

何で女の子だからってお花の種類を知ってなきゃいけないの？

（ツイッターより）

「女は運転下手だから」

狭い道路の地元で培った運転技術はこれ言った男性よりよほど高いし、なんなら縦列駐車で勝負すっか？ あとな、運転技術は性別関係ない、経験とセンスじゃ！

（ツイッターより）

「女なのにマニュアル免許取るの？」

（ツイッターより）

「女の子なのにお行儀悪い」

親から言われた。（ツイッターより）

「女のくせにかわいげがない」

（ツイッターより）


「女のくせに偉そうだ」

（ツイッターより）


「女のくせに生意気な」

これって普段から女は格下と思ってるから出る言葉。（ツイッターより）

「女性○○」

女性だけ性別を冠して呼ばれてることの謎ミソジニー文化滅びてほしい。もちろん逆パターンも滅びろ。大学教授にそう言ったら「言葉の多様性だ！ 多様性を認めないのか！」と反論されたのには頭を抱えた。

（ツイッターより）

「女医」

（ツイッターより）

「美人すぎる○○」「かわいすぎる○○」

（ツイッターより）

「女流○○」

（ツイッターより）

「○○女子」

（ツイッターより）

「リケジョ」

そんなカテゴライズされないで男子も女子も好きな勉強ができますように。

（ツイッターより）

「女子なのに理系？」

（ツイッターより）

「女の子が物理を選択するんですか？どうしてですか？」

高校2年生のときに、予備校に入ろうと説明を受けに行ったら、予備校の事務員から言われた。予備校には入らず自力だけで勉強するしかなかった。

（東京都・爆睡熊子・50代・女性）

「機械系で女子って大変じゃない？」

「そういうこと（機械で習う内容）が好きなの？ え、好きなんだ！ ……っていうと『理系女子』って感じか」。これ最近まじに言われたやつ。悪気はなさそうなんだけどね。基本、女子は難しいことは苦手とか思ってそう……。

（ツイッターより）

「女子は数学が苦手」

（ツイッターより）

「今は女子のほうが成績が良くても、すぐに男子に追い越されるから」

受験生のときに言われたこと。いまだにこの呪いの言葉が、なくなっていないことにあぜんとします。この言葉で女子の心を折ることが目的？ 今年、受験生の子から聞かされ、がくぜんとしました。（滋賀県・M・40代・女性）

「バカなほうが愛されるよ」

知らんがな。

（ツイッターより）

「女は政治の話したらかわいくないのよ」

（ツイッターより）

「歴女」

何かと○女とつけること。逆に○男とかはあまり聞かない。好きなことに性別は関係ない。

（ツイッターより）

「女の子はやっぱりこういう華やかなのが似合うからね！」

私が成人式の振り袖を選ぶときに店員さんに言われたせりふ。私は模様が入ってない叔母さんのお下がりのシックな赤い振り袖がよかったのに、結局違うのにされた。

（ツイッターより）

「女子が好きなやつ」

テレビでのグルメ特集でこのセリフが聞こえてくると一気に萎えてしまう。マーケティングなんかの結果、食の好みに性差があるかもしれないけど、いわゆる「女子が好きなやつ」を好きな男性がそれを好きだと言いにくい、食べにくい、恥ずかしいとなる場合もない？

（ツイッターより）

「女子会」

全員がアボカドサーモン食べてません。立ち飲みとか日本酒とか好きなんです。

（ツイッターより）

「女性の方はとりあえずウーロン茶でいいかな？」

早く飲みたいオッサンの気持ちが優先され、乾杯時に飲みたいお酒を選べない。

（ツイッターより）

「女性にオススメの味です」

味覚を性別で分けないでください。

（ツイッターより）

【女性らしさ】

「すごい派手な格好だけど、男ウケ最悪だよ？」

私は！ 私のために！ 好きなメイクと好きな服着て！ 自己肯定感を高めてるんです！！！！！！！！

（ツイッターより）

「もっと女らしい服装したら？」

（ツイッターより）

「男の子っぽいのにスカート履くの？」

人生で初めて「うるっっせぇな」って思った一言。どういう服を好んでようと人に口出しされるいわれはねぇぞ。

（ツイッターより）

「あんたは胸が貧相でかわいそう」

着替えているときに母が言った一言。完全に打ちのめされた。別に胸が大きいことに憧れているわけではないのに、そうやって勝手に侮辱されて悔しかった。と同時に、体格に恵まれた母がどのような価値観を刷り込まれたのかうかがい知れて悲しくもなった。胸の大きさで人の価値が決まるわけではない。（東京都・しの・10代以下・女性）

「女の子なんやから化粧し！」

私は女ですが化粧は性に合わないといいますか、したくありません。それを見た職場のお局（つぼね）に言われました。清潔にしてたら化粧は個人の自由やん、と思います。「女の子／男の子＝これ！」というステレオタイプは滅ぼすべきです。（京都府・はるか・20代・女性）

「化粧もっとちゃんとしてきたら？」

面接のオッサンに言われた。（ツイッターより）

「化粧したら普通にかわいいのに」

（ツイッターより）

「女子は美容に興味あるよね？」

いろんな女性がいるのに「女子」でひとくくりにするな。（ツイッターより）

駄言カテゴリ

「キャリア・仕事能力」

女の子いたら
先方も喜ぶから

ゴッ

「女の子いたら先方も喜ぶから」

ここでは「男は仕事、女は家庭」という性別役割分業について考えてみます。こうした思い込みがまだまだ根強いように思える半面、実態は大きく変化しています。

内閣府の「女性の活躍推進に関する世論調査」（平成26年度）を見ると、「男は仕事、女は家庭」という考え方に「賛成」の人は1979年（昭和54年）には72・6％もいました。これが「男女共同参画社会に関する世論調査」（令和元年度）では、35・0％にまで減っています（「反対」は同20・4％、59・8％）。過去40年間で、性別役割分業に対する日本の人々の価値観がここまで大きく変化しているのです。

働く女性の数はどう変化しているのでしょうか。1986年に男女雇用機会均等法が施行され、働く女性は増えるばかりです。2021年3月の総務省の「労働力調査」では、15～64歳女性の就業率は71・1％に達しています（男性は83・6％）。結婚を理由に退社する女性も減り、同じく労働力調査では、女性労働力率の「M字カーブ」（女性の労働力率が出産・育児期に低下すること）の解消傾向も確認できます。

こうした事実があるにもかかわらず、女性を「職場の華」や「男性社員のお嫁さん候補」として扱う文化が、一部の企業に残っているという現実があります。

例えば、取引先との会食で、出席予定のメンバーが全員男性のとき、上司から「女の子がいたら先方も喜ぶから」と、女性の社員が参加を依頼されることは珍しくありません。「性別ではなく、能力で仕事をアサインする」。そんな当たり前のことが日本のすべての企業に浸透する日が、一日も早く訪れますように。

「女の子いたら先方も喜ぶから」

（ツイッターより）

「華を添えに来て」

得意先との飲み会への上司からの誘い文句。

（ツイッターより）

「電話は女の子が出てくれたほうが相手が喜ぶから」

（ツイッターより）

「ちょっとそこの女の子」

女性に向かってビジネスの場で「女の子」と呼ぶこと。商談中に「ちょっとそこの女の子…」はナシだと思う。（ツイッターより）

「事務の女の子」

（ツイッターより）

「おまえ」

男の上司に、これ言われるのマジ無理。（ツイッターより）

「女性は能力だけじゃなくてやっぱりはにかんだみたいなかわいらしさがないとね」

それが女性社員に求めること？（ツイッターより）

「あなたたち（女性2人）の色気があれば契約バンバン取れるね！」

仕事の土俵に上がってないと見られているのかと絶望した。（ツイッターより）

「男性の受付なんぞいるわけないだろ！」

「なぜ女性ばかりに受付業務が回ってくるんですか」という質問に対する、弊社トップの回答。株主総会のときなどには男性の受付、いますよ？？？

（ツイッターより）

「女性は職場の華。年を取ったら若い子に席を譲るから」

就活中、総合職3次面接で言われました。私たち女性は華になるために採用されるんですか？ 華として機能しない年齢になったら捨てられるんですか？ 3次の面接官がそれ言います？ 辞退しました。

（ツイッターより）

「女の子、片方は社長の隣、片方は出入り口の席に（お給仕のために）座って」

昔いた会社の所属部署には女性は2人しかいなくて、飲み会で言われた。今思っても最高にロックな男尊女卑だったな。他にもいろいろあったけど。

（ツイッターより）

「女性は課長の隣に」

職場の飲み会で。「女性」と飲みたいなら、お金払ってプロのサービスを受けてください。部下を代用品にしないで。

（ツイッターより）

「各テーブルに女性がいたほうがいいから」

会食などのシーンにて。

（ツイッターより）

「一般職女性は社内の男性と結婚してもらうために採用してますのでそのつもりでいてください」

友達が面接で言われたらしい。（ツイッターより）

「女子はほら、アシスタントなんだからさ」

（ツイッターより）

アラフォー女性は皆「お母さん」扱い

（ツイッターより）

「あのおばさん」

職場で同僚が他の女性のことを指して。おまえ1つしか年違わんやないかい！　なお話題に出すだけでキレるので、めんどくさくなって放置した。

（ツイッターより）

「お局」

令和の時代にそんなもんいません。この言葉、言われてる人より言ってる人のほうが価値観古いと思う。

（ツイッターより）

【キャリア・仕事能力】

「女なんだから結婚して辞めちゃうんだろ。辞めちゃえよ」

以前の会社の男性上司に言われた一言。ガッカリするやら憤慨するやら。非常に感情がかき乱された覚えがあります。実際に男性が9割、既婚で子持ちの女性はいないマッチョな職場でした。この発言を聞いて「そうですね。あなたみたいな価値観の人が多数いる職場で、結婚して家庭を持ってからも働く未来を描くのは難しいですね」と思い、さっさと見切りをつけ、働きやすい会社に転職できたので、よかったかもしれないです……。

（宮城県・かや・30代・女性）

「結婚したら、仕事辞めるんでしょ？」

（ツイッターより）

「いざとなったら結婚すればいいもんね」

就職先が決まらない女子に向かって。（ツイッターより）

「まあ女の子は結婚したら出産して、パートしとけばいいもんね〜」

意外と女性が言ってる気がする。（ツイッターより）

「女性がいれたお茶はおいしいナァ」

女性に「お母さん」的な役割を押しつける職場はまだあります。以前は、女性は早く出社し、全社員にお茶を配り、退社前には全員分の湯のみを洗わなければいけなかった職場もあったそうです。そんな中、「お茶くみ反対」運動を巻き起こし、大変な思いをしてこの悪習を撲滅するために行動した人たちもいたのです。

しかし、女性社員だけお茶くみをさせられる「習慣」はもはや過去の遺物かと思いきや、今回、複数の人からの投稿で、まだこの習慣が残っていることが明らかになりました。20代女性からの投稿もあり、今の若手社員の中にも、現在進行形でこうした経験から仕事へのやる気を失っている人がいると分かりました。

「あなたはお茶くみしてね。女の子が入れたほうがおいしいから」

同期（男性）と2人で新卒で配属された支店で、女の私だけお茶くみを命じられた。お茶の味に性別なんて関係あるか。

（ツイッターより）

【キャリア・仕事能力】

「女性がお茶を出すと味が違うし顧客に喜ばれるからね」

女性社員ばかりにお茶出し当番があることに異論を唱えた際に上司に言われた言葉。ホステスじゃねーし。（ツイッターより）

「女の子が入れたほうがお茶がうまい」

他の仕事をしていたのにお茶くみやらされた。飲み会のお酌と料理取り分けパターンもある。（ツイッターより）

「コーヒーも満足に入れられないのかよ」

てめえの飲みもんはてめぇで用意しろや。（ツイッターより）

「男が入れた茶がうまいわけないだろ。先輩が誰に入れてほしいかも分からないんじゃ一人前は遠いぞ」

（ツイッターより）

「えっ、水割り作れないの？ 普通さ、女の子は全員作れるでしょ？」

（ツイッターより）

【キャリア・仕事能力】

「女の子なんだから（机の上の）ゴミ片付けないと」

（自分のゴミじゃないのに）上司に言われました。確かに私も気が利かなかったけど、ちょっとイラッとしました。普通に「片づけてほしい」と言ってほしかったです。（ツイッターより）

「女の子だから整理整頓、得意でしょ？」

（ツイッターより）

「やっぱりこういうことは女子にやってもらうといいねー」

職場で散らかってた物を整理整頓した後の上司の言葉。性別関係ない。私がきちんと仕事しただけだ。（ツイッターより）

「こういうのは女性じゃないとダメでしょ」

ボタンつけぐらいでガタガタ言う職場のオッサン（怒）。そんなこと言ったってやらないものはやらない。全国のテーラーにケンカ売っておられます？ 逆にまだまだ女性のテーラーのほうが珍しいくらいでしょ。

（ツイッターより）

「やっぱり総合職の女子より一般職のほうがいいよな」

男性社員の発言。

（ツイッターより）

「うちの部署には総合職の女性は要らないから」

業務職ならいいの？ そもそも総合職と業務職の違いって何？ 仕事の能力は男女で違うの？

（ツイッターより）

女性から管理職

キリッ
出さないとなッ

「女性から管理職出さないとなッ」

日本政府は2003年に、「2020年までに指導的地位に女性が占める割合を30％にする」という目標、通称「2030（ニイマルサンマル）」を打ち出しました。しかし、残念ながら2020年7月にこの目標の達成は見送られ、その代わりに「2020年代の可能な限り早期」での達成を目指すという方針が示されました。

2020年7月の帝国データバンク調査を見ると、女性管理職割合の平均は、たったの7・8％にとどまっています。政府目標の「30％」を超える企業は7・5％と微増しているものの、目標からは依然としてはるか遠い地点にいるのが現状です。

ここでいま一度確認すべきことは、女性管理職割合の目標を達成するために、能力を度外視して「女性を管理職にすればいい」わけではないということ。

性別に関係なく、個々の社員の能力を伸ばし、最適な人材を管理職に任命したら、それがたまたま女性だった……というのが理想です。

一方で、経営者や管理職の人たちに話を聞くと、「男性は自分の実績を上司にプレゼンするのが得意な傾向がある」「女性は自分の能力を実際よりも低く評価しがちである」「現在の管理職に男性が多いため、企業や管理職が強く意識しなければ、女性を管理職に、という発想が生まれにくい」といった指摘もあります。日本企業でも、役員など主要ポジションの一定割合を女性に割り当てる「クオータ制」を導入すべきだという専門家もいます。今後の動きに要注目です。

「女性管理職」

管理職という言葉には「男性」という意味でもあるのかな？

（ツイッターより）

「女性が活躍する社会」

分かってなさそうな人が軽々しく使うのを聞くと「おまえが言うな」と思う。（ツイッターより）

「女性活躍推進」

この方針が掲げられるうちは、まだまだ古い体質の会社だなぁと思ってる。（ツイッターより）

「今は女性だったら全員管理職になれる時代ですからね」

って言っている入社5年目がいた。

（ツイッターより）

「『女性』の管理職なんだからさ」

「男性の管理職を立てたり、女性らしい意見を出してよ」という意味。

（ツイッターより）

「女の上司は嫌いなんですよね」

「あ、あなたのことじゃないですよ、前の上司のことです。仕事に対する考え方が違いすぎて」と初めて部を持ったときの最初の飲み会で、男性部下に面と向かって言われた。前の上司が嫌いなことはよく分かったが、「女の上司」をひとくくりにする必要はない、と思った
（東京都・ポエム・50代・女性）

「年下の女の上司の部下になることが、男にとってどんなに屈辱的か分かりますか？」

年上の男性部下から雑談中に唐突に言われた。
（東京都・爆睡熊子・50代・女性）

「あんたは女なのに意見が強過ぎる。他の女性管理職は皆優しいのにあんただけ怖い。どうしてもっと優しくなれないのか」

上司と対等に議論して率直に意見を言っていたら、言われた。（東京都・爆睡熊子・50代・女性）

「あなたって会社で案外女扱いされてるのね。私はいつも男扱いされるから、女性差別されたことなんてないわ」

女同士で、過去に上司から女性蔑視の扱いを受けた話をしたときに、相手の女性から言われた。彼女は決して男性とけんかしない仕事の仕方をする人。

（東京都・爆睡熊子・50代・女性）

「なんでおまえみたいなのがここにいるんだ？ 上と寝たのか？」

（ツイッターより）

「誰だって女に提案されたら『いいよ、いいよ』と言うもんだよ」

先方の社長への提案が実り、実施に至った成果を、自社の役員勉強会で報告したら、そこにいた男性役員に言われた一言。しかも、拍手喝采の後、会がお開きになってみんな退室するときに、去り際にわざわざ私の前を横切りながらささやかれた。顔見とくんだった。一生許さない。

（東京都・ポエム・50代・女性）

「女性に頼まれたら断れないなあ～」

誰に頼まれても断らないでください。それがあなたの職務ですよ。

（ツイッターより）

「企画書の承認もらえました」
「えー、あの役員やっぱり
女性に甘いんだな〜」

男性上司に言われた。まともな企画書だからだよ。
（ツイッターより）

「女性が働きやすい職場です！」

女性が産休・育休を取りやすい職場を指して、こう言うのやめろ。「子どもがいる方や、これから子どもが産まれる予定のある方が働きやすい職場です！」だろ？？ もちろん女性でも男性でも産休・育休取りやすいという意味で。（ツイッターより）

「女性に優しい職場」

家事や育児と両立しやすい職場は「人間に優しい職場」。（ツイッターより）

「わが部では女性社員が働きやすいキャリアプランをつくりたいと思っています」

子育て中の私が部長から言われました。部長は応援のつもりで言ったと思うし、その気持ちはありがたいのですが、やはり依然として「女性が育児・家事を両立しながら働くもの」という考えが染みついているのだなぁと残念に思いました。

（神奈川県・めーぷる・30代・女性）

「女性の意見もどんどん取り入れていこうね！」

私は女性だからこの企画を出したのではない。あなたの部下だから出したのだ。「女性だから」なんて下駄は要らないよ。（ツイッターより）

「かわいいものは女性のほうが分かる」

んなわけないだろがい（怒）。気色悪いし、かわいいものの機微が分かる男性にも失礼。顧客に男性もおるのに。（ツイッターより）

「女性ならではの視点を生かして」

（ツイッターより）

「女性は気が利くからね」

と上司に言われた。もちろん気が利く男性が多数いることも承知の上だが、男性も気を利かせろと思った。（ツイッターより）

「さすが主婦感覚！」

職場でコスト減になる意見を言ったら言われた。いや、ここ婚姻の有無関係ない話だろう？ とにかく勝手にくくらないで。真剣に考えた私の意見です。（ツイッターより）

「交渉ごとは女性には難しいからさ」

約20年前、とある日系の大企業における会議で「ここから先は女性社員は退席してください。男性社員のみで議論します」と言われたことにショックを受け、早々に退社を決めた女性の新入社員がいました。その後、彼女が中途入社した会社は今や誰もが知るITベンチャー企業。彼女は社内で新規事業を立ち上げるなど精力的に働き、あっという間に業界内の有名人に。さらなるキャリアアップをし続け、今では企業の役員を務めるまでになっています。

しかし、あれから20年経った今でも「性別による仕事内容の決めつけ」を残している企業はまだあります。

「営業マン」という呼び名も象徴的です。営業担当者の総称として今も使われていますが、「マン」の意味は「男性」。営業など、会社の花形部署で活躍するとされる、稼ぎ頭の仕事は男性が中心的に担い、女性はバックヤードの仕事を担う――、そうした会社はまだあります。自動車や鉄鋼業と業界による偏りもあります。

いった会社には男性社員が多く、化粧品や生命保険などの会社には女性社員が多い――。そんな性別による仕事の区分けはもうやめにして、個々人の適性や希望に合った仕事ができる社会になりますように。

【キャリア・仕事能力】

「女の子には責任ある仕事を任せないようにしているよ」

職場でマネジメントについて語っていたときに、隣の男性マネジャーが言っていた言葉。女性には体力も気力もなくてやり切る責任感がないから、大きな仕事は任せられないし任せないという趣旨でした。

（東京都・あゆちゃん・30代・女性）

「君は女性なのに理論的で、できる人だね」

おいおい、私の所属部門は9割が女性だし、その中に理論的じゃない人はいなかったぞ。

（ツイッターより）

「話し合いに参加しても女の子はどうせ『分かんな〜い』って言うんでしょ笑」

10代、男性からの一言。この世界では一生この考え方は変わらないのかな、と失望した。

（ツイッターより）

「おまえが男やったらよかったのに」

上司からの褒め言葉。（ツイッターより）

「君は下手な男よりよっぽど優秀だな！」

（ツイッターより）

【キャリア・仕事能力】

「営業マン」

うちの会社の提案書にはいまだに営業マンという言葉が入っていたり、社内のメールでも営業マンと書かれていたり。女性の営業いますけど？？

（ツイッターより）

「女に営業職なんてできるわけがない」

（ツイッターより）

「○○社の営業、優秀だよねー、女性なのに」

（ツイッターより）

「女性なのに全国転勤なんて大変ですね」

（ツイッターより）

「女性は男性よりコミュニケーション能力が劣ってるから昇格させられない」

もっと仕事をしたいと言ってきた女性社員全員に詳細に説明しておられた。

（ツイッターより）

「女性の中では評価が高いよ」

仕事に対する評価について上司から言われた。私が男性だったら同じ仕事でももっと評価が高いってことですよね？　性別問わず仕事の内容で評価してほしい。

（東京都・キタ・30代・女性）

「○年入社は女性のほうが優秀だねえ」

なぜそんなに意外そうに言うのか。

（東京都・キタ・30代・女性）

「女性社員って、若いうちはすごく優秀で仕事できるのに、中堅以降になると子育てとかで減速して男性に抜かれるんだよね。だから若いうちに優秀でも女性は登用しにくい」

（ツイッターより）

【キャリア・仕事能力】

「正式な商談になったら男性の担当がつくんですか？技術が分かる方と話したいのですが」

営業先でお客様に言われたこと。その男性の担当者は、私の部下です……。（ツイッターより）

「お姉さんには分からないだろうから分かる男性呼んでよ」

話を聞く前から無知と決め込んでくるやつ。（ツイッターより）

「女性でこんなに仕事できる人初めて見ました」

違う部署の男性マネジャーに言われた一言。褒められたのか、けなされたのか、いまだにワカラナイ。（東京都・おやさい・30代・女性）

「女の子なのにそんなに仕事してどうするの？ 仕事好きなの？ 実は気が強いんだね」

（ツイッターより）

【キャリア・仕事能力】

「これだから女は使えない」

女性が失敗すると言われる言葉。これが男性の場合は、「彼はダメだな」と個人に帰する。

（ツイッターより）

「これだから女はダメなんだ」

（ツイッターより）

094

「この子は女の子だけど仕事が好きですよ」

なんで逆説?
(ツイッターより)

「よかったじゃん、仕事が暇な部署で。子育て大変でしょう? ゆっくりしてなよ」

仕事を頑張りたかった私が閑職へ異動することになり、すごく落ち込んでいるときに同僚から言われた言葉です。私は職場でゆっくりしたいんじゃなくて、責任ある仕事がしたかったです。

(神奈川県・めーぷる・女性・30代)

「子どもがいて大変だから誰でもできる仕事がいいよね」

子どもは元気だし私は突発的な休みもないし多少残業もできると言ってるのに。で、マミートラック真っただ中のくせに、仕事がたまるといきなり負荷の高い仕事押し付けてくる。

(ツイッターより)

「子育て最優先だから、これ以上仕事しなくていいよ」

ていうか、担当業務が量・質共にレベル低すぎてやりがいゼロ。何のために働いてるのか分からない。

（ツイッターより）

「育児が大変なら、他の部署に異動させてあげようか？」

上司は恐らく気を使って言ってくれたのだと思いますが、今の部署こそやりたい仕事なのにそこで働きやすい環境をつくろうという発想はないのかな……。「仕事と育児の両立がしたいなら働く場所は限られるよ」と言われた気がしてしまいました。

（東京都・カワウソ・30代・女性）

【キャリア・仕事能力】

「お子さん小さいね？ってことは病気とかですぐ休むってことだよね？そういう人は要らないんだよね〜。2人目の予定は？数年で辞めるかもしれない人雇ってもね……」

産後、再就職面接のアポ電時に相手方取締役から言われた言葉たち。あ、そういうゲス職場なんですね〜辞退しまーす♡
（ツイッターより）

「求人票には書いてませんが女子は募集していません」「弊社は寿退社が前提になっていますので産休・育休制度がありません」

就活で言われた。実話。
（ツイッターより）

「女は募集してないんで」

就職活動中、2次試験で落ちた会社から再試験の連絡が。ところが女性と分かった途端、受験を拒否されました。個の能力や意志を無視しないで！　性別だけで判断しないで！

（ツイッターより）

「あなた、いい年だけど結婚とかは？女の子はほら、結婚したら辞めちゃうでしょ。だから今年から新卒で女子は採用していないんだ」

（ツイッターより）

【キャリア・仕事能力】

【キャリア・仕事能力】

「恋人はいるの？ 結婚の予定は？」

これは就活の面接で私が言われた言葉です。「その情報が採用に関係ありますか？」と言ったら相手はしどろもどろになって「世間話だよ」と言い訳してました。なら質問するなよ。（ツイッターより）

「結婚や妊娠の予定ないよね？」

最終面接時の社長の言葉。総務の子が言われたらしい。その前から思いやりもモラルもないなと思ってたけど、コレは分かりやすくアウト。（ツイッターより）

「君はきっと寿退社だな」

私を「幹部候補だ」とも言った、社長からのお言葉。（ツイッターより）

「この職場には男性が多いです。あなたは女子大出身のようですが、男性と話すのは苦手ですか？」

実際聞かれたことだけど、就活の面接でこれ聞くのはダメだと思うな……。偏見すぎる、時代錯誤すぎる。

（ツイッターより）

「他は化粧品会社とか受けてるの？」

某エンジニアリング会社の面接官。一生忘れられる気がしない。

（ツイッターより）

「君が男ならたくさんの就職口があるんだけど」

大学生の時、就活で失敗が続いたとき、教授に言われた。

（ツイッターより）

「子どもが小さいうちは育児に専念してもらえるよう時短を応援してるからね」

善意だから何も言えないけど、好きで時短なわけじゃないイラつき。（ツイッターより）

「俺も生理休暇使っていいかな？笑」

私が生理休暇取った際の男性上司の言葉。普段は男女差別的発言もない人ですが、信じられないくらい感覚が違う。ショックでした。どういう意図なのか。（ツイッターより）

「生理なんて気合でどうにかなるでしょ？」

（ツイッターより）

「生理痛は甘え」

（ツイッターより）

駄言カテゴリ

「生活能力・家事」

「家事、手伝うよ」

家庭では、どのような光景が広がっているでしょうか。1997年を境に、専業主婦世帯数を共働き世帯数が追い抜き、その後も共働き世帯が増え続けており、「男は仕事、女は家庭」という固定観念と現実は大きくかけ離れてきました。

しかし、夫婦の家事・育児関連時間には、いまだに大きな隔たりがあります。内閣府『平成30年版男女共同参画白書』によれば、1日当たりの妻の家事・育児関連時間は7時間34分で、夫は1時間23分（妻の家事・育児時間が、夫の約5・5倍）。そのうち育児時間は、妻が3時間45分で、夫は49分です（妻の育児時間が、夫の約4・6倍）。

この数字から、「男は仕事、女は仕事と家庭」という不公平な現実が透けて見えます。

また、コロナ禍の失職者には女性が多く、女性の収入は家計の補助にすぎないとみなす社会背景も指摘されています。

他国の場合はどうでしょうか。比較的、男女間での差が小さいスウェーデンでは、妻の家事・育児関連時間が5時間29分で、夫は3時間21分（妻の家事・育児時間が、夫の約1・6倍）。育児時間は、妻が2時間10分で、夫は1時間7分です（妻の育児時間が、夫の約1・9倍）。

若い世代はどのように考えているのでしょう。男子大学生に対する調査では、「将来自分が結婚する女性には、結婚後も働き続けてほしい」と考える人が増えています。第11回「マイナビ2021年卒 大学生のライフスタイル調査〈働き方編〉」によれば、「夫婦共働き」を希望する割合は、男子が前年比7・0ポイント増の56・5％、女子が同3・5ポイント増の74・3％。男子で初めて5割を上回り、男女共に調査開始以降で最多となっています。これを見ても、共働き世帯数はこれからも伸び続けていくであろうことが予想されます。

家事・育児の分担についてはどうでしょうか。内閣府「家族と地域における子育てに関する意識調査」（平成25年度）の「家庭での育児や家事の役割」に関する調査結果を見ると、男性でも、年齢が若ければ若いほど「妻も夫も（育児や家事を）同様に行う」と考える割合が多いことが分かります（参考：20代は43・8％、30代は43・6％、40代は42・6％、50代は38・2％、60代は31・7％）。

しかし現時点では、結婚後、家事・育児を妻が多く負担するケースや、妻一人で行う「ワンオペ」のケースが多いことは否めません。

「女性は家庭」という固定観念を覆すための一助になり得るのが、政府による男性の育児休業取得の義務化です。こうした「家の外からの強制力」もうまく使い、古い性別役割分業意識を徐々にでも消滅させられますように。

【生活能力・家事】

「(家事)手伝うよ」

やはり夫が妻に言うこのフレーズが（駄言の）キングなんじゃないの？ 当事者意識がないことがこれ以上うまく表れた言葉はない。

（ツイッターより）

「オレにメシ作れってこと？ 好きで忙しくしてるんだよね!?」

子ども3人の育児、家事、仕事に疲れ、体調不良の私が「もう少し手伝って」と言ったときの夫の言葉。

（ツイッターより）

妻「働こうと思うんだけど」
夫「働いて帰ってきても
俺の前で絶対
『疲れた』って言うなよ」

（ツイッターより）

【生活能力・家事】

「ご飯どうするの？」

状況見て考えろや。（ツイッターより）

「誰のおかげで食えると思ってるんだ」

「誰のおかげでうまいもの食えると思ってるんだ」って今度こそ言おうと思っています。（ツイッターより）

「俺のほうが稼いでるんだから
おまえの家事比率が高いのは当然」

金銭うんぬんではなくフルタイムなら拘束時間は同じだし、賃金の男女差はむしろ社会に問うてくれ。こちとら好きで同職の男より低賃金なわけではない。

（ツイッターより）

「俺より稼げるようになったら
育児手伝ってやるよ」

（ツイッターより）

【生活能力・家事】

「家族サービス」

男性が家族と過ごすことだけ、「やってあげる」感で言われる。
（ツイッターより）

「確かに仕事が忙しくて、育児は妻に任せてたかもしれないけど……」

妻だって仕事してましたが何か。それ育児放棄でネグレクトじゃないですか？
（ツイッターより）

「女が働くと家庭がおかしくなる」

小学生の頃、伯父に言われた言葉。私の母も、伯父の妻である母の姉も仕事を持って働いていたのに。

（ツイッターより）

「そんなに長く働かないで早く結婚したほうがいいよ。生意気になるから」

大手日本企業を定年退職した伯父より、これから就職しようとしていた学生の私に。
（ツイッターより）

「どうせ女が働いたって男と同じだけ稼ぐなんてできないよ。家にいて温かな家庭をつくるの。それが女の仕事なんだよ」

同じ女子校で育った同級生は言った。私の年収は日本の平均年収を超えたけど？

（ツイッターより）

「仕事より育児したいんだと思ってた」

（ツイッターより）

「家で遊んでないで働いたら？」

（ツイッターより）

「主婦って暇でしょ？ 昼間、何してんの？」

家事です。昼間だけでなく夜も朝も家事してます。大中小といろいろな仕事があります。ちなみに暇ではないです。（ツイッターより）

【生活能力・家事】

「旦那さんは育児手伝ってくれるの？」

出産してから100回くらいは聞かれた質問。何で男性にとって育児は「手伝う」ものなのか、はなはだ疑問。「夫婦2人の子どもなのでもちろん育児してます」と答えると、「良い旦那さんね」と褒められるのも疑問。男女関係なく育児はするものっていう世の中になりますように！

（千葉県・うどん・20代・女性）

「子煩悩な父親」

「子煩悩な母親」とは言わないな。

（ツイッターより）

「専業主婦させてくれる旦那さんでよかったね」

専業主婦は貴族か。昼は握り飯1個や。
（ツイッターより）

「じゃあ、専業主婦になったんだね。おめでとう」

40代自営業です。結婚後も変わらず仕事を頑張っていたのですが、一昨年、子どもを出産しました。自営のため育休・産休を取らず、スケジュール調整し、そのまま仕事を続けていましたが、出産したことを伝えると数人からこのような反応がありました。出産、子育ての期間も自分のペースで働けるように、わざわざ起業したのですが、残念な反応でした。

（ツイッターより）

【生活能力・家事】

「これからは○○さんが家事頑張らなきゃな!」

結婚が決まった後輩(女性)に上司(男性)が掛けた言葉。家事は別に女性の仕事じゃない、と思った。

(ツイッターより)

「え……、旦那さん給料低いの?」

仕事でお世話になった方に結婚報告。「仕事は続けるので引き続きよろしくお願いします」と言ったら、こう返された。私は自分の能力を発揮するために働いています。女性の「働く」は夫の稼ぎを補うためだけにあるのではない。そもそも夫にも失礼でしょう。以降その方とはお仕事していません。

(ツイッターより)

「ダンナに稼いでもらえばいいじゃない」

副社長から業績評価・人事評価のフィードバックを受けているとき、「業績は高く評価されているのに、20年も昇進しないし、給与が上がらないのはおかしい。子どもが医学部で金がかかるから昇給して」と抗議したら言われた。
（東京都・爆睡熊子・50代・女性）

「結婚してるの？じゃあ君は働かなくてもいいね」
（ツイッターより）

「給料安くても女性は結婚すればいいじゃん！」

てめぇ絶対許さねぇからな。クソ人事部長め。って、思ってたら私が退職後1年でクビになっててワロタww ざっまーーーーーーみろ！！！！
（ツイッターより）

【生活能力・家事】

「私、結婚することになったので退職して家事に専念します」

（ツイッターより）

「主人」

世の中の奥様方からブーイング食らいそうですが、これ、使いたくない。「ご主人」て使われるのを聞くのも嫌。私、夫の下僕じゃないもん。

（ツイッターより）

「家内」

（ツイッターより）

「内助の功」

「いいお嫁さんになるね」

（ツイッターより）

女性が料理や掃除をする様を見て。
・相手が異性愛者であることの決め付け
・相手に結婚願望があるという思い込み
・家事＝女の仕事だという偏見
・赤の他人を「いい」「悪い」と勝手にジャッジする傲慢さの全部が入っている最低レベルの駄言。

（ツイッターより）

「そんなんじゃ嫁のもらい手がなくなるよ」

（ツイッターより）

「君って家庭的じゃないよね」

料理や家事は生きるためのスキル。共働きの今、性別関係なくできたほうがいいのでは。

（ツイッターより）

「（家事・育児について）夫ができるように育てるのは妻の仕事」

「夫は大きい長男と思って褒めておだてて育てよ」

「夫」にも「妻」にもたいそう失礼な言説。滅びよ！
（ツイッターより）

「これからはあなたが（夫を）育てないと」

義母に言われた言葉だ。おまえの子どもダロ。
（ツイッターより）

「旦那をしっかり育てないと」

大人と結婚したはず。

（ツイッターより）

「仕事とご家庭どうやって両立しているんですか？」

（ツイッターより）

「パパを褒めて育児を手伝ってもらおう！」

ママが毎日してることをパパがしたら褒める？ ママはして当然と言われるのに？ 手伝う？ 我が子の育児を手伝う？ おまえも育ててるんだよ！！！ とツッコミどころが満載すぎる。

（ツイッターより）

「え、旦那さん帰ってくるのにご飯用意しなくていいの？」

（ツイッターより）

「旦那さんのお昼ご飯は用意してきたの？」

せっかく久しぶりに外でランチなのに。何で夫のを作らにゃならんの。（ツイッターより）

「旦那さん出張するの？じゃあ早く帰って支度してあげなきゃ」

今まで言われた中で最高に意味不明だったのが職場の女性に言われたこの言葉。「いえ、夫は大人なんだから自分でできますよ？」と返したらキョトンとしてたが何でだよ。（ツイッターより）

「奥さん、転勤に付いていかないの？」

（ツイッターより）


「奥さん、○○やってくれないの？」

アイロンとかお弁当とか、何でも妻の落ち度にするのはどうかと思う。

（ツイッターより）


「夫を立ててあげなくちゃ」

自分で立て。

（ツイッターより）


「彼女にするならあの子だけど、奥さんにするなら君かな！」

どっちもごめんです。

（ツイッターより）

「家事の手伝いしなさい！」

幼少の頃、祖父母の家に行くと言われてた言葉。配膳したり、食器下げたりとか。弟には言わないのにね～～？？？ 何で私にだけ言うんだろうね～～？？？ あれれ～？ おかしいなぁ？？？

（ツイッターより）

「ママもうれしい」

不動産の広告でよくありますね。家事の動線なんかを考えてるのは結構なんですが……なぜママなのかと。

（ツイッターより）

「素敵なキッチン！奥様が喜びそうですね」

（ツイッターより）

「（育児用品や冷凍食品などの宣伝で）お母さん／主婦の方も大助かり！・ママもうれしい」

家事や育児は母親と主婦だけの仕事？（ツイッターより）

「お父さんは趣味！お母さんは家事！」

プレゼント選びや自由時間の使い方や居住スペースを考えるときの基準が、こうなってる発言やCM全般。（ツイッターより）

「次はエプロン持参だな」

パートナーの実家に挨拶に行ったときに言われた。パートナー自身がエプロン持参じゃないのに、その家に住んですらいない私がなぜエプロン持参なのか。パートナーの両親は、パートナーに対して、私の実家に一緒に行くときはエプロン持参すべきとは言わない。（ツイッターより）

「電球の取り替えなど頼みたいことがあるときはご主人の機嫌のいいときに言ってみましょう。きっと快く引き受けてくれますよ」

「片付けは多くの女性を悩ませていると思います」

そもそも、ほとんどの片付け本が女性向けなのがおかしい。

（ツイッターより）

駄言カテゴリ

「子育て」

「ママなのに育休取らないの？」

厚生労働省「令和元年度雇用均等基本調査」によると、女性の育児休業（育休）取得率は２０１９年で83％です。母親だからといって必ず育休を取得するわけではありません。父親が育休を取得する場合もあれば、育休を取得せずに仕事を続ける場合もあります。子育てのやり方にも多様性が認められるべきです。とにかく「育児を主体的に担う人＝母親」という決めつけはもうやめにしましょう。

今回の募集では、子どものいる女性が飲み会に参加したり、夜や休日に出勤したりすると「お子さんはパパが見ているんですか？　いいパパですね！」と言われるというケースが複数寄せられました。「パパに子どもを預ける」も、よく使われる駄言です。二人の子なのに「パパに預ける」

というのはおかしい話。ママのほうが日ごろから主体的に育児に関わっているという前提があるからこそ生まれてしまうセリフです。

「やっぱりママが一番だよね」も、子どもの「ママ大好き」な気持ちを表すポジティブなフレーズに聞こえますが、実は問題のある発言です。パパが子どもの前で言って、育児をママに押しつけるときにも使える一言だからです。また、家族の内実を知らない第三者が無責任に使うことで、言われた家族を不用意に傷つけてしまう可能性もあります。

「お母さんは3歳になるまでは子どもと一緒にいたほうがいい」という「3歳児神話」も、専門家によって否定されている駄言です。『厚生白書（平成10年版）』（厚生労働省）の第1編・第1部・第2章にも、「三歳児神話には、少なくとも合理的な根拠は認められない」と明記されています。

にもかかわらず、まだ3歳児神話をひきずっている人は数多くいるようです。2013年、当時の安倍政権が、子が3歳になるまで育休を取得できるようにするという指針を出した際の「3年間、赤ちゃん抱っこし放題」という発言にも、そうした背景があったのでしょう。

パートナーの家事・育児の分担はカップル二人だけの問題にとどまりません。社会の無理解や不勉強が、実態の改善を阻んでいるという見方もできます。逆に言えば、周り（社会や身近な人たち）がカップルに対して有効な情報やメッセージを発信し続けることで、家事・育児における性別役割分業は変えられる可能性もあるのです。

【子育て】

「母性」

って言葉にすごく迷惑しました。何のエビデンスもねぇくせに女性なら全員あると思われてる虚像ワード。（ツイッターより）

「母親なんだから」

（ツイッターより）

「母は強し」

（ツイッターより）

「良妻賢母」

（ツイッターより）

「子育ては母親にしかできない大切な仕事」

へ？ 母乳以外は男もできるわ。（ツイッターより）

【子育て】

【子育て】

「やっぱりママが一番だね」

ママだから一番なのではなく、日ごろ世話してくれて自分を見てくれて同じ時間を過ごしてくれる人が一番なだけ。パパの育児への関わらなさを棚に上げて都合よく性別の問題にしないでほしい。（ツイッターより）

「やっぱママじゃないとダメみたい〜」

夫のこのセリフはマインドごと滅びろ。「ワンオペ育児」も絶滅しますように。（ツイッターより）

「赤ちゃんはママがいいに決まっている」

大臣の発言です。
（ツイッターより）

「お母さんは、子どもが3歳になるまでは一緒にいたほうがいいよ」

産休前に上司から言われたこと。
（ツイッターより）

「そんなに早く復帰するなんて、赤ちゃんがかわいそうだよね」

（ツイッターより）

【子育て】

「(子どもは)パパに預けてるの？いい旦那さんだね」

いや、２人の子どもだから預けるとかじゃなくね？「いい旦那」は否定しないけど。普段、旦那が仕事のときはあたしが見て、あたしが仕事なら旦那が見る。ただ交代しただけなのに何なのこの差は？

（ツイッターより）

「ママが早く帰ってあげなくてお子さん大丈夫？」

子どもたちが未就学児だった頃、残業していたら、我が子と同い年の子どもを持つ男性上司に言われたことがある。「パパが早く帰ってあげなくてご家族は大丈夫ですか？本当に？」

（ツイッターより）

「昼間自分の仕事で子どもを夫に見てもらったから、晩ごはんは出かけられない」

（ツイッターより）

「母親失格」

そんなこと言う資格ある？

（ツイッターより）

「そんなことしたらママに叱られるよー」

おまえ父親やん、おまえが叱れよ。

（ツイッターより）

「旦那さんの許可得てます？ こんなお母さん嫌だなー」

美容院で髪を刈り上げるときに言われたこの言葉。妻が装うのに夫の許可なんか要らないし、母はこうあるべきだという押し付けが社会全体で強すぎる。おかしい。

（ツイッターより）

【子育て】

【子育て】

「ママなのに出張行くの？
信じられない」

「ママという立場で出張に行く＝非常識極まりない」と思っている方も少なくなく、何度か言われたことがあります。でもママだってバリバリ働けますよ？
（神奈川県・ともこ・30代・女性）

「え、繁忙期から産休入んの？
タイミング考えて子ども作れよ〜」

独身の男性社員から言われた。
（ツイッターより）

「3人目産んでから老けたね」

男性上司（偉い人）が女性の先輩にかけた言葉。やっぱりこの職場、テキトーなところで辞めようと決意した言葉。（ツイッターより）

「あいつ時短だから使えないんだよな」

以前の職場で上司が同期の女性を指して言っていた言葉です。そして、それに同調した別の男性社員が「本当ですよねー」と笑っていました。そのとき、私は妊活中。「自分も子どもができて時短を取ったらこう言われるんだ。こんな会社嫌だ」と思いました。その後、他の理由もあって転職しましたが、この言葉が転職の背中を押した要因の一つでした。
（東京都・るーしー・30代・女性）

「避妊してなかったの？」
「どんな方法で避妊してたの？」

絶対忘れない、上司に妊娠告げたら個室に呼び出されて言われた言葉。
（ツイッターより）

「妊娠は病気じゃないでしょう。流産したことがあるとか、事情があれば配慮するけど」

妊娠中、上司に言われた言葉です。
（ツイッターより）

【子育て】

ヒョっ

そんなに働いて
子どもがかわいそう

「そんなに働いて子どもがかわいそう」

専業主婦世帯数と共働き世帯数の推移を見ると、今、働き盛りの30～40代を育てた親世代には、「企業戦士」の父親と、夫を支えた専業主婦の母親というカップルが多いことが推察できます。そのため、自分の娘、あるいは息子の結婚相手が、結婚・出産後も働き続けることの意義を、理解してくれない場合もあるかもしれません。

国税庁「民間給与実態統計調査結果」で、1981年（昭和56年）生まれの人が12歳になる1993年（平成5年）までの12年間で、平均給与は1・4倍になっています。これが2007年（平成19年）生まれの人が12歳になる2019年（令和元年）までの同期間では1・06倍にしかなっていません。夫婦ともに共働きを求める声が増えている背景には、「夫一人の収入だけでは不安がある」という、こうした実態もありますが、そのあたりの切実さは当事者でなければ実感が湧きにくいのかもしれません。

夫婦共働きに対する世代ギャップが生まれているのは、家の中だけにとどまりません。見るからに「仕事帰り」のスーツ姿のママが夜に街で小さい子どもを抱いていると、「そんなに働いて子どもがかわいそう」などと、見知らぬシニア層から声を掛けられることもあるようです。

その背景には「母親が働くことは、子どもに悪影響を及ぼす」「子どもが小さいうちは長時間、母親と過ごすべきだ」といった決め付けがある場合も。母親は子どもをたくさん産み、家事・育児に集中すべきだという古い考え方が、まだ社会のここかしこに残っているのです。

「お子さん、小さいのに預けたらかわいそう」

優しくて包容力のある保育園の先生に恵まれました。保育園の先生は子育てのプロです。子どもたちを強く育ててくれて、私の心の支えにもなってくれて、本当にありがとう。

（ツイッターより）

【子育て】

【子育て】

「お母さんなんだから、無理せずのんびり子ども一番に働いたら？」

（ツイッターより）

「保育園に行ってる子は○○ねぇ」

○○にはネガティブな言葉が入る。予防接種の待ち時間に悪気のないおばあちゃんからこう声を掛けられて、「もうすぐうちの子保育園なんです」って言えなかった。今なら自信持って言えるのに。

（ツイッターより）

「保育園？　3歳までは母親が育てたほうがいいと思うけどねぇ」

（ツイッターより）

「お母さんがそんなに働くと子どもがおかしくなるでしょ」

深夜まで残業して、帰宅のために乗ったタクシーの運転手に言われた。（ツイッターより）

【子育て】

「母親なら手抜きするな」

2020年7月、「子連れのお母さんがスーパーで総菜のポテトサラダを手に取っていたところ、たまたま通りかかった男性客から『母親ならポテトサラダくらい作ったらどうだ』と言われているのを見た」、というツイートが話題になりました。ここでもいくつかの価値観の押しつけを見て取ることができます。「料理は母親の役目だ」「子どもが口に入れるものは母親が手作りすべきだ」……という社会的プレッシャーが、母親一人の肩にかかる場面が多いのです。

現実を見れば、今は味も栄養バランスも良い総菜が簡単に手に入る時代。「市販のお総菜もうまく取り入れて、その分、家族でゆっくり座って食事を楽しみましょう」と呼びかけるぐらいがちょうどいいのかもしれません。

今回集まった駄言の中で多かったものの一つ

に、「母乳？」という言葉もありました。「母親は子どもを母乳で育てるべきだ」という「母乳神話」に基づき、「もちろん母乳で育てているよね」と聞かれることがあるのだそうです。親戚だけでなく、街中で初対面の人から聞かれることも少なくないとか。

今はお湯で溶かす必要のない、液体ミルクという便利な商品も発売されている時代です。母乳でもミルクでも大差はありません。何より大事なのは、たっぷりの愛情を注ぐことです。

また「（子どもを）保育園に行かせるの、かわいそう」という駄言も複数ありました。共働き世帯の増加に伴い、保育園や幼稚園で延長保育を利用する世帯は増えます。子どもは親だけではなく、さまざまな人たちが関わって育てていくものです。

【子育て】

「母親ならポテトサラダぐらい作ったらどうだ？」

お総菜万歳、冷凍食品万歳！
（ツイッターより）

「お母さんの手作りが一番⁉」

（ツイッターより）

「母乳？ 2人目は？」

（母乳と粉ミルクの）混合です！ 一人で！ 限界です‼

（ツイッターより）

「母乳？ ミルク？ 母乳なのね？ 合格！」

（ツイッターより）

「私のときはもっと大変だった」

（ツイッターより）

「あら、ひとりっ子なんてかわいそうね」

（ツイッターより）

「あともう一人ぐらい産めるやろ⁉」

2億くれたら産む。

（ツイッターより）

駄言カテゴリ

「恋愛・結婚」

えっ
クリスマス

一人って大丈夫？

「えっクリスマス一人って大丈夫？」

「25歳を過ぎた女性は売れ残りのクリスマスケーキ」という言葉を聞いたことがありますか？「結婚適齢期」を過ぎたという意味合いです。年頃を迎えた多くの男女が、お相手を見つけて結婚していくのが「普通だ」と思われていたころに使われた言葉です。

さて今や、結婚を取り巻く状況は急激に変化しています。さまざまな社会変化を背景に、日本では単独世帯が増えています。『「一人で生きる」が当たり前になる社会』（ディスカヴァー携書）によると、２０４０年には独身者が国民（15歳以上）の47％にまで増える（２０１５年では41％）と推定されています。

「結婚するのが普通」「結婚したほうが幸せ」という固定観念に縛られないことのほうが、これからの時代は自然になっていくのかもしれません。クリスマスの夜を一人でお祝いするのだって自由。心配ご無用。余計なお世話です。

男性が結婚したい女性の父親に「お嬢さんを僕に下さい」と挨拶しに行くのは、１８９８年（明治31年）に制定された旧民法が規定した日本の家族制度の名残だと考えられます。当時は一家の「戸主」が権限を持ち、「戸主」の承認なしには結婚はできませんでした。しかし、今では家制度は廃止され、日本国憲法第24条に基づき、結婚したい「両性の合意」によってのみ結婚は成立するとされています。

しかし、家制度が廃止されても、結婚に関する古い習慣はさまざまなシーンに残っています。結婚式や披露宴では「ご両家」という言葉が使われ、控室にも「○○家」と張り紙がされ、「家同士の結婚」という形式のままです。

今回集まった駄言で多かったのが、男の子を産んだ女性が義理の親から「ありがとう」と感謝されたり、女の子を産んだときに「次は男の子ね」と言われたりしたというもの。これも今はなき家制度に定められた「家督は長男が相続する」という昔のルールに引きずられての発言でしょう。

女の子は将来結婚して別の家に移るので、男児がいなければ家が消滅してしまう――。そんな感覚を持つ人はまだいるようですが、実際は、子どもの性別にかかわらず、子どもは結婚した時点で、親の家（戸籍）からは抜け、新しい戸籍を作るのですから関係ないのです。

「何で結婚しないの？ もったいない」「結婚はともかく子どもがいないと将来困るよ？」「子どもを産み育てるのは女の義務」

私の人生は私のものだ。勝手に決めるな、搾取するな。

（ツイッターより）

【恋愛・結婚】

【恋愛・結婚】

「娘は嫁に行くからお金をかけるのがもったいない。でも近くに嫁に行けば愚痴を聞いてもらえていい」

何このカテゴライズ。(゜Д゜)ポカーン(ツイッターより)

「行き遅れ」

自分の意思で結婚してないんだよ。何でこっちに問題があるみたいな言われ方されにゃならんのか。

(ツイッターより)

「昇格したんだって？
結婚、諦めたの？」

男性の同僚から言われた。妬みなのか、無意識なのか。
（ツイッターより）

「結婚しなきゃね！
子ども産まないといけないし！」

（ツイッターより）

「生き物としての義務を果たしてない」

子どもを生んでいなかった頃、親に言われた。（ツイッターより）

「子どもを産まなかったほうが問題」

政治家による発言。そもそも子どもを産むことは、女性一人ではできない。産みたくても経済的な事情、健康状態、仕事などで諦めるしかなかった女性もいるし。夫婦でも男性の不妊が原因の場合もある。子を産む性である女性にだけ、責任を押し付けないで。（ツイッターより）

【恋愛・結婚】

「女性は子を産む機械」

某政権の厚生労働大臣の言葉。女は機械じゃない。人間だ。これを厚生労働大臣が言ってしまったことに、当時大変ショックを受けたし、今も怒っている。子を産まない選択をした人も、産めない事情がある人も、人として尊重される国で、私は生きていきたい。

（ツイッターより）

「女性は子どもを産んで一人前」

（ツイッターより）

「子どもを産んで育てないと、あなたは成長しないわよ。子どもが親を育てるって言うでしょ、あれほんとよ。うちなんて3人育て上げたから」

って、結婚して数年のほぼ初対面の夫婦に無神経な駄言をぶつけるセンパイの思慮の未熟さよ。

（ツイッターより）

「女性は子どもが欲しいと思うもの。早くしないと子ども産めなくなっちゃうよ」

（ツイッターより）

「結婚したのに子どもも産まないの？　何で？」

それは私と夫が話し合って決めたことであり、他人に説明する必要はない。特にあなたのような人には。

（ツイッターより）

「子どもも作らんとプラプラ遊んで、姑さん何も言わんのか？」

不妊治療真っ最中、近所のオヤジに言われた一言。プラプラ遊んでるように見えたんか。こちとら痛い注射を毎日腕や尻やと場所を変え打っとったんじゃ～。苦労は見えんわな。思い出しても腹立つ。

（ツイッターより）

「お子さんいらっしゃらない？　それはお寂しいですね」

寂しくないよ。いた者がいなくなったんじゃないんだから。これ男性には聞かないと思う。（ツイッターより）

「子どものいない人には分からない」

（ツイッターより）

「子どもがいないくせに偉そうに言うな」

子どもがいないとき、子どもがいた妹から言われた。子どもがいたら偉いのか？　あ？

（ツイッターより）

【恋愛・結婚】

「なお、○○さんは妊娠はしておらず……」

有名人の結婚報道で。は？ プライバシーって知ってますか？

（ツイッターより）

「今、住宅ローン組んで子どもができたらどうするつもり？」

単独名義で住宅ローン申し込もうとしたときに先輩から言われた言葉。当時は心配されるのも無理ないと思ってた。

（ツイッターより）

【恋愛・結婚】

「今、彼氏いなかったら結婚できないよ。あんたもうまぁまぁいい年なんだから使えるうちに女使いなよ」

（ツイッターより）

「誰かいい人いないの？」

男女問わずプライベートに踏み込むのやめません？　交際関係について話したかったらこっちから話しますんで。

（ツイッターより）

「次はあなたの番だね！」

結婚式で。（ツイッターより）

「まだ再婚しないの？」

ま、言われる相手にもよるね。何も知らないヤツに言われるのは腹が立つ。（ツイッターより）

「もうそろそろ結婚して（仕事）辞めないとね～」

男性上司に言われた。（ツイッターより）

「いつまでも結婚しないから世間体が悪いでしょ。あんた、うちの一族に恥をかかせるの？」

と、言われましても。（・∀・）（ツイッターより）

「なかなか片づかなくて困っちゃう」

結婚しない私について両親が親戚に。既に経済的に自立してたのに、今さら片づくって何だよっていうのと、結婚しないことで同居でもない親が何に困るというのか。

（ツイッターより）

「あと結婚してないのあんただけだよ」「実家に帰るなら孫連れて帰ってこい」

（ツイッターより）

【恋愛・結婚】

「妹さん結婚したんだ！
お姉さんも負けないように
早く結婚しないとね！」

結婚の早さに勝ち負けあるんですかね。
（ツイッターより）

「いつ結婚するの？ あんたの年には
あたしはあんたを産んでたわよ」

（ツイッターより）

「そんなのいちいち考えてたら結婚できないし、
子どもなんて産めないよ！」

（ツイッターより）

A「〇〇さんって美人なのにどうして独身なんだろうね」
B「中身によほどの欠陥があるんじゃない笑？」

「独身＝性格に難アリ、余り物」みたいな古すぎる価値観消えてくれ。恋愛や結婚に興味ない人もいるし、既婚か未婚かに関係なくクズな人はクズです。（ツイッターより）

「子ども部屋おばさん」

「子ども部屋おじさん」もある。事情があって人生そのようなのに。男性はバカにされ、女性は透明化される。（ツイッターより）

「あら、1人で旅行なんて寂しいわね」（ツイッターより）

「娘さんを下さい！」

（ツイッターより）

「（婚姻時の）「入籍」（妻姓を選んだだけなのに）「婿養子」」

二人が新たな戸籍を作ることを「入籍」とは言いません。「婿養子」という言葉も誤りです。（ツイッターより）

「うちの嫁」

妻のことを嫁と言うなんて、おまえは昭和の舅か？（ツイッターより）

「嫁」

女偏に家ですよ、もう存在自体が罪悪。（ツイッターより）

「○○ちゃんも○○家の人間なんだから」

義実家が良い意味で言ってくれたと思うんだけど、聞いててゾッとした。（ツイッターより）

【恋愛・結婚】

【恋愛・結婚】

「長男(長女)だから家を継いでもらわないと」

（ツイッターより）

「一人っ子？ なら結婚相手は次男だね！」

（ツイッターより）

「次は男の子を産まないとね」

二女を出産した当日、出血多量で死にかけたうえに義祖母に言われた言葉。

（ツイッターより）

「おなかの赤ちゃん、女の子か。1人目だし、まぁいいわ。次は頼むよ」

相手も年寄りだし、そういう価値観だよね、そうだよね、とあまり気にしないようにしたけど、夫から言われてたら、うつになってたな。（ツイッターより）

「お子さん生まれたんだ！
男の子？ じゃあ、もういいね！」

何がどういいのか。
（ツイッターより）

「男だって!?でかした！」
「長男を産むなんて偉い、よくやった」

っていう、嫁の務めを果たした的なやつ。いつの時代の話ですか？ 私は私と夫の子を産んだのであり、それがたまたま男の子だっただけ。義理の実家のために命がけで子どもを産んだんじゃないよ。（ツイッターより）

「三姉妹ってかわいそうだね、
男の子が欲しかったから産んだだろうにね」

（ツイッターより）

「跡取り産んでくれてありがとう」

平成元年に長男を出産したときに、夫の母に言われた。今はもう家制度も家長制度も存在しないのに。
（ツイッターより）

「愛してたら改姓できるんじゃない？」

「えっと、それ男にも言います？」って返しました。
（ツイッターより）

「え、妻が改姓するものでしょ」

彼に言われた。法律上は、どちらの姓に改姓してもいいんだが、なぜ女性が改姓するのが前提？

（ツイッターより）

「俺は男だし姓を変えられない！仕事だってしてるし！」

女だって変えられないし仕事してますが？
その言葉、まんま女にも当てはまるんだけどどう違うの？
（ツイッターより）

「何様だ」

結婚するとき、夫の姓を名乗りたくなくてそれを主張したら夫の親に言われた。
（ツイッターより）

【恋愛・結婚】

駄言カテゴリ

「男性らしさ」

へえ？：
男なのに

育休取るの?!

「えっ男なのに育休取るの？」

ここまで、主に女性が言われることの多い駄言を取り上げてきました。しかし、ジェンダーバイアスに苦しんでいるのは、もちろん女性だけではありません。実際、男性からの駄言の投稿も数多くありました。

中でも目立ったのが「家事・育児」に関する駄言です。家事・育児に女性同様に、場合によっては女性より積極的に関わる男性は確実に増えています。しかし、そうした姿勢を、職場など、周りの人たちから理解してもらえないというケースは少なくないようです。

男性の育児休業（育休）に関する駄言も複数ありました。

少子化対策の一環として、政府は男性の育休取得に力を入れており、1996年に0・12％だった男性の育休取得率は、2019年度には7・48％にまで上昇しています（女性は同49・1％、83％）。2020年5月に閣議決定された「少子化社会対策大綱」では、男性の育休取得率を2025年までに30％にするという目標が掲げられました。2022年4月から、企業は子を持った男性社員に個別に育児休業の取得を促すように義務付けられます。

それなのに社内（特に現場の上長）からは「なぜ父親が育児休業を取らなければいけないの？」という疑問を呈されてしまう……。同じ時代を生きているのに、個人の考え方や職場の風土によって、周りからの反応に大きな違いが生まれるトピックです。

「（男が）育休取って何するの？」

（ツイッターより）

「男が育休取っても、昼間は暇でしょ？何してるの？」

黙れ。（ツイッターより）

「育休明けに居場所なくなってないといいね」

長めの育休を取る前日に言われた一言。いまだに強烈に覚えている。言った人のことは一生忘れない（怒）。

（東京都・ジャイアンと馬場・20代・男性）

「男性の育休取得実績をつくりたいので一日だけ育休取ってください」

人事部から言われた。
（ツイッターより）

「男のくせに妻が出産するからといって会社に来ないとは何事だ！」

妻の出産前に、電話口で叫ばれました。
（ツイッターより）

「イクメン」

普通に父親でいいのに。
（ツイッターより）

「子育てするママの仕事を応援します！」

パパは行政にも民間にも応援されないことが多い。パパは男だから大丈夫、みたいな発想なら変わっていかなきゃね。（ツイッターより）

「緊急連絡先がお父さんの携帯になってますけど、優先順位にお間違いないですか」

と何度も尋ねる先生。母は連絡が付きにくい仕事なので連絡が取りやすい父にしたのですが、ダメですか？（ツイッターより）

「子どもが病気のときに、男が休みを取って意味があるの？」

子どもが熱を出し、急な有休を申請した際、女性の先輩から言われました。そちらの家の父親は分かりませんが、私は看病できますが何か？？

（福岡県・団体職員は駄言だらけ・30代・男性）

「主夫？働いてないの？」

……家事は仕事やないんやね……。（ツイッターより）

男なんだし

残業くらいしろー

「男なんだし残業くらいしろー」

女性に対するさまざまな社会的なプレッシャーがあるのと同様に、男性にもさまざまなプレッシャーがかかっています。「男性なのだから体力・気力が尽きるまで仕事をすべきだ」「家庭よりも職場を優先すべきだ」……こうした古い考え方がいまだに残る職場はあります。

「男性学」研究者の田中俊之さんは、著書『男がつらいよ』（KADOKAWA）の中で、次のように言っています。

「職場では長時間残業、休日出勤、はたまた転勤にも柔軟に対応し、私生活では女性をデートに誘い、愛の告白も自分からするなど関係性をリードして、結婚して子どもを持ち、家も買って人生のさまざまな場面における『達成感』を得なければいけない。そんなプレッシャーに常に耐える性、それが男性だ」と。

そして、その結果が男性の幸福度の低さにつながっているといいます。『平成26年版 男女共同参画白書』によると、女性の幸福度が34・8％であるのに対し、男性は28・1％です。また、厚生労働省「令和2年 自殺の統計」を見ると、男性の自殺者が女性の約2倍であることが分かります（男性が66・7％、女性が33・3％）。

これまで見てきたように、職場や社会における男性優位の環境では「従来の男性の加害者性は否めない」と田中さんは指摘します。その一方で、男性ならではの「生きづらさ」も事実として存在しており、これらを解決するには、性差別の解消とすべてのジェンダーにおける平等の達成が必要ということになるのです。

「男なんだから黙って働けよ」

心を病んで少しだけお休みが欲しいと、義理の両親に打ち明けたときの話。パワープレイで数十年乗り切ってきたゴリゴリ系経営者には、ただの弱音に映ったようで。完全アウェイの中、ひたすら責められたなぁと。

（ツイッターより）

「男のくせに泣くな」

泣きたいほどの感情に寄り添うことよりも大切にしたいものってなんですか？（ツイッターより）

「男の子らしくなってきて〜」

男らしいって何？ 個性によっても変わる。親はまずその偏見なくそう。（ツイッターより）

「やっぱり男の子だね〜」

車好きの1歳の息子に。いいえ、この子が好きなだけで、性別は関係ありません。（ツイッターより）

「ピンクのお洋服着てるから女の子かと思ったわ〜」

息子が言われた言葉。性別関係なく、自分が好きなものを身にまとうのが当たり前の未来でありますように。（ツイッターより）

「器が小さい」

都合の悪い男性に向けられる言葉。
（ツイッターより）

「甲斐性」

男性は女性を養って当然という考えの上での言葉。
（ツイッターより）

「女みたい」

男性に対する侮辱に使うのやめろや。侮辱される男はもちろん。女にも失礼過ぎだろ。
（ツイッターより）

「男はバカだから許してやってよ」

（ツイッターより）

「男はいつまでたっても子どもだから」

いや、大人になってくれ。
（ツイッターより）

「もうちょっと頑張れよ」

飲食店でクーポン使う男性に。
（ツイッターより）

「本当は女性が男性を手のひらで転がしている」

（ツイッターより）

「○○君も、女性に負けてらんないよ！」

女性だからじゃなくて、切磋琢磨する同僚だからだよね。ちなみに、この「女性」と言われた私のほうが先輩です。（ツイッターより）

「父親なのに休日出勤できないなんて、家庭に問題があるんじゃないか」

（ツイッターより）

「男になった」

男性が何か偉業を成し遂げたり目標を達成したとき。
（ツイッターより）

野球選手「監督を男にしたい」
応援演説「○○を男にしてやってください」

男じゃないものはダメなのかな、といつも思う。
（ツイッターより）

「男だろ」

（ツイッターより）

「男なのに情けない」

（ツイッターより）

「男のくせに言い訳するな」

これうちの夫が息子に怒るときに言うから、そのたびに割って入って「男女関係ないよ！」って訂正する案件。（ツイッターより）

「男の本能は炎のような……」

男性が水や氷や風のように生きるのはダメなのか？ 実に多様性のない一言として、これを挙げておく。（ツイッターより）

「男のプライド」

（ツイッターより）

「男は度胸」

男だからって無理強いすんな。そもそも度胸に性別は関係ない。（ツイッターより）

「男は解決脳」

（ツイッターより）

「一人の男として
ケジメと決断をし」

（ツイッターより）

「男として
チャレンジしたい」

男だからチャレンジする、女はチャレンジしな
い・しなくていいというバイアスがなかったら
出てこない言葉。

（ツイッターより）

「それでも男か」「○○付いてんのか」

「力仕事が得意」「泣き言を言わない」などの、強い男のステレオタイプから外れた男性への言葉。（ツイッターより）

女の子には
頼みにくいから
お前頼むよ

「男はそんなもんだよ、許してあげてよ」

（ツイッターより）

「今度の新人は男だから多少厳しくいっても大丈夫でしょ」

そんなんだからガンガン辞めてくんだよ。

（ツイッターより）

「売り場に立つのは女の子しか採らないよ」

ケーキ屋のバイト面接で。あ、スーパーのレジ打ちバイトでも言われたな。あと、パン屋の売り場のときも言われた。アホくさ。（ツイッターより）

「初デートは男性が多めに払うべし」

私だって楽しくておいしいご飯を食べた時間を過ごしたわけだから半分でも出すのが当たり前だと思う。

（ツイッターより）

「デート代は男が払うの、当たり前でしょ」

男女平等をうたう一方で、いまだにこういうところは考えを改めない女性が多い。男女平等を主張するなら、割り勘を申し出るべき。

（神奈川県・ONE・30代・男性）

「男だけでディズニー（自虐トーンで）」

すべての属性の人に対して失礼。

（ツイッターより）

「スイーツ男子」

（ツイッターより）

02

なぜ「駄言」が生まれるか

「駄言」は社会が成長している証し

アーティスト
東京藝術大学デザイン科准教授

スプツニ子！

すぷつにこ！／アーティスト。東京藝術大学デザイン科准教授。1985年、東京都生まれ。2013年から米マサチューセッツ工科大学メディアラボ助教としてデザイン・フィクション研究室を主宰後、現職に。17年世界経済フォーラムの「ヤング・グローバル・リーダー」、19年TEDフェローに選出。

国際的に活躍するアーティスト、スプツニ子！さんは、これまでいくつもの「駄言」を言われた経験があります。そんなスプツニ子！さんに、駄言にまつわる数々のエピソードと、駄言に対する考えを聞きました。

「『ガイジン』と言っていじめないで。尾崎さんは『日本人』なんですから」

思えば私もこれまでいろいろな駄言を言われてきた気がします。人生初の駄言の記憶はジェンダー視点のものではなかったです。

あれは小学校1年生のときのこと。日本の小学校に通っていた私は同級生や上級生たちから「ガイジーン、ガイジーン、国に帰れー！」と言われていじめられていました。そのときに担任の先生が皆に言った言葉に大きなショックを受けたのを今でも覚えています。

「尾崎さん（※）を『ガイジン』と言っていじめるのはやめなさい。尾崎さんは『日本人』なんですから！」

「え……、私が日本人だから（いじめるのを）やめなさいっていうのって、おかしくない？」。私は日本人であるのと同時にイギリス人でもあるので、「私が外国人でも『ガイジン』といじめるな、と言っ

※スプツニ子！さんの本名

てほしかった……」と子ども心に思ったんです。

「女性は男性に『獲物をちょうだい』と言って、もらってきた」

次に紹介するのは、日本の年配の男性から言われた「駄言」です。とある大企業に勤務する役職付きの男性が米国のMIT（マサチューセッツ工科大学）の研究室まで来てくれました。訪問の目的は「商品開発に生かすため、女性ならではの視点を聞く」こと。

しかし、話を聞いて面食らいました。その方がこんなふうに言い出したから。**「原始時代から、獲物を捕りに狩りに行く**

撮影／窪徳健作

のは男性。女性は男性に『その獲物をちょうだい』と言って、もらってきた存在。だから、男女の視点は違う」。この発言を聞いて、とっさに「何言ってんの？ 私のほうがあなたよりずっと狩りをしていると思うけど」と、言いそうになりました（言えばよかった……）。

「美人≠頭がいい」!?

ほかにも、MITに会いに来た別の日本の大企業の役職ある男性と会食をしていたとき、**「スプツニ子！さんは美人だから、こんなに頭が良くて大学の先生をされているなんて思っていませんでしたよ！」**と言われたことも。周りにいた50～60代の男性社員の皆さんも、これを褒め言葉だと思ってニコニコして聞いていました。「その発言、褒めているつもりでも全然ダメですよ」と笑顔で返しましたが、私の助言の意味を理解してもらえたかどうかは分かりません。

「女性というテーマを捨てろ」

「生理マシーン」という作品を作っていた20代前半から、私は「ジェンダーとテクノロジー」を制作のテーマにしてきました。

「女性の生理や妊娠・出産に対する理解は、どうして原始時代からほとんどアップデートされてきていないんだろう？」

「日本で男性用の性機能改善薬は半年で承認されたのに、低用量ピルの承認はアメリカより40年近くも遅れてしまった。こんなふうに、どうしても男性の課題のほうが早く解決される傾向がある。テクノロジーが進歩する過程で、このようなジェンダー格差が生まれてしまうのはなぜだろう?」――。そんなことを考えながら男性も生理を体験できる「生理マシーン」を作って卒業制作展で展示したところ、いきなりインターネットで広がって。そこからMoMA(ニューヨーク近代美術館)で展示することが決まり、MITに助教として採用され、活動の場が世界に広がっていきました。

今でこそ「ジェンダーとテクノロジーは自分にとって根源的なテーマだ」と、はっきり思えるようになりましたが、まだ20代半ばだった当時、私はそのことに明確には気づいていませんでした。「スペキュラティブ・デザイン(問題提起するデザイン)」という分野の中で制作に取り組み、「ゲノム編集の未来」など、ジェンダーに直接は関係しないテーマも多く扱いました。

ただ、テクノロジー・アートやメディア・アート界のスタンスが自分の中でどこかぴったりはまらないなと思うときもありました。10年前のテクノロジー・アートの世界には「女性やジェンダーの問題はニッチなテーマだ」という空気感がまだあったんです。メディア・アートの世界における表現者は女性より男性が多かったので、ジェンダーをテーマにした作品はとても少なかった。どのメディア・アート展に行っても、何かがピコピコ光っているとか、見ている人がカメラに向かって手を振ると自分の映像が宙に浮い

たり飛んだりするといった、なんだか安易な未来崇拝に見える作品ばかりでした。

その頃、今でも忘れられない出来事が起きたんです。

ある尊敬する男性デザイナーの先輩(50代)から、**「スプツニ子!さんは才能があるし、いろんな可能性があるのだから、女性というテーマを離れて作品を作ったほうがいいんじゃないか」**と言われました。彼は世界的なデザイナーで、聡明で、先進的で、プログレッシブ(革新的)。みんなから慕われていて、私も心から尊敬していました。何かに悩むと真っ先に聞きたいのは彼のアドバイスだというくらいの存在。そんなすてきな方から「女性というテーマを離れたほうがいい」と言われたんです。

それ以前に他の人から似たようなことを言われたこともありました。**「女性というテーマは面白いけど、もっと大きなテーマを……」「女性という限られたテーマじゃなくて、もっと普遍的なテーマを……」**。そういう空気感にまみれていたから、自分でも「そうなのかな」と思ってしまうことがあって。

その尊敬する先輩からの助言を素直に受け止めて「ジェンダーに関わるテーマ以外に、自分が取り組むべき『壮大なトピック』って何なんだろうな」と考えたんです。悲しかったというより、「困ったな。私がずっと取り組んできたこのテーマは、あの方にとってもニッチなのか」って。そのもやもやを抱えたまま数週間経って、ようやくピンときた。

「女性の視点はニッチじゃない!!!!!!!!」って。

従来、アート界もテクノロジー界も男性が多かったから、女性視点の作品があまり作られてこなかっただけのこと。女性として見る世界や、現代社会に対する問題意識は男性アーティストにとっては「ニッチ」かもしれない。でも、世界の女性の人口比率を見てみると、女性は人類の半分、マイノリティではないんですよね。私にとって「自然な視点」が「女性独特の視点」とか「ニッチ」と呼ばれること自体が問題で、だからこそ私がこのテーマで制作することに意味があるんだ!

その後、私はその先輩に自分の考えを**素直に話しました。**

職業名の前に「女性」を付けるのはもうやめよう

同じようなことを写真家の蜷川実花さんと対談したときに話しました。彼女はデビュー当時から周りから「女流監督」と言われ、作品も「女性らしい映画」と評されることが多いそう。**「正直言ってこの言い方って変だよね」**って。**「人間らしい映画」**って言えばいいのに。これまで映画監督がほとんど男性だったから、従来の映画のスタイルや視点、物語が男性的なだけだよね――、と。

私の身にも、それに似たことが起きていたんでしょう。私から見た世界をストレートに語ったり表現したりしたら「女性カテゴリー」として「ニッチ」扱いされてしまった。ちなみに前述の先輩は、私が話をしたら状況を本当によく理解してくれて、自分が私にしたアドバイスのことを丁寧に謝ってくださいました（涙）！なので、私はその方に対して全くネガティブな気持ちはなくて、彼くらい尊敬できるすてきな人でもそういうコメントをすることがある、というエピソードとして聞いてほしいです。

「制作費をあげるから、愛人になって」

アーティストとコレクターとの関係は難しいこともあります。「作品に興味があるから会いたい」と言われてコレクターに会いに行ったら、**作品の話は全くされずにずっと口説かれ、心から落胆**したことがあります。作品に興味を持っていただくのはありがたいのですが、プライベートな関係はこちらは全く求めていないわけです。

また、私の話ではありませんが、ある知人の女性アーティストから、「**『作品の制作費をあげるから、愛人になってほしい』と言われて困っている」**という話を聞いたことがあります。こういうのは本当に「超・論外」です。

まともな人であれば、プロフェッショナルな相手にそんなことは絶対に言いません。仕事をネタに女性に駄言を言う人に対しては**「はい、B級」**と、私は思っています。時間の無駄だから絶対に相手にしません。若い世代に対しても、**「もし仕事をネタに口説いてくるような人がいたら、その人の近くにいても悪いエネルギーの影響を受けるので、思いっきり距離を置いて無視するように」**とアドバイスしています。

「あの（成功している）女性は誰と寝ているのかな」

いかがわしいことは何もしていなくても、成功する女性は変な噂を立てられやすいと思います。ツイッターを見ていても、**「なんであの女性はあんなにうまくいっているんだろう。誰と寝ているのかな」**といったツイートを見ることもあります。社内で抜きん出ている女性に対しても変な噂って立ちやすいですよね。全く何もしていなくてもそんなことを言われてしまう世の中だから、もしも1回でもそれに近い行為をしてしまったら、その女性

がいくら実力で出世しても、「枕営業」を使っている人というレッテルを貼られて、そのイメージはなかなか消えないと思います。

女性をおとしめるような、そういう駄言を言う人の近くには、私はなるべくいないようにしています。逃げる、関わらない。少しでも**「この人はやばい」と思ったら近寄らないほうがいい**です。

「女も車も美人が好き」

こんな駄言もありました。バブル世代の男性からLINE上で、やけに美人だと褒められて、**「女も車も美人が好き」**というメッセージを送られたことがあって。本当に「気持ち悪い！」の一言です。そんなメッセージを送ることがかっこいいとでも思っているんでしょうか。**「私は物ではないので、そうやって物として表現するのは失礼ですよ」**とLINE上で注意しました。それだけだと少し感じが悪いかなと思って、仕方なく「(笑)」は付けましたが。これは世代的な感覚かもしれませんが、今、20～30代の男性がそんなことを言っていたら失笑されるだけですよね？

駄言は社会が成長している証し

さて、私が思うに、駄言はどの時代にもあったのでしょう。**何かの発言に対して違和感を持つのは、社会が成長しているからこその現象**だとも思います。

最近、2015年に撮影された米ハリウッド映画を見ました。2017年の「#MeTooムーブメント」以降、ハリウッド映画での描写もかなり変わっているのだなと感じました。なぜなら、たった6年前の作品なのに映画の描写の端々に、**「ジェンダー観が古い！」**と思う場面があってすごく驚いたので。

私が見た映画の主人公はバリバリ働く女性社長で、彼女は男性社員を前に**「最近の男の子たちは全然覇気がないじゃない、女に負けたりして」「ほら、男ならみんなビールを一気飲みよ！」**といった発言をするわけです。

6年前の映画を見るだけでもここまで違和感を持つわけですから、**駄言はその社会が社会として成長していることの証しなのかも。**1980年代は「女も車も美人が好き」って言われて、「私はフェラーリ！」と女性が喜んだ時代もあったのかもしれません……、私からすれば「オエッ」ですけどね（苦笑）。

あと、駄言ではないのですが、**日本の子ども向けアニメで、「男は仕事、女は家庭」という価値観に基づく設定の作品がまだかなりあると**思いますが、**もうやめたほうがいいのではないかな、**と。「ザ・昭和の家族像」をなぜ今の子どもたちが見なくてはならないのでしょう。そうした番組を放映しているテレビ会社の人が、**その不自然さに気付かないのも、構造的性差別ではないか**と感じます。

駄言が生まれる理由は「不勉強」

立命館アジア太平洋大学(APU)学長

出口治明

でぐち・はるあき／1948年、三重県生まれ。72年、京都大学法学部卒業後、日本生命保険入社。ロンドン現地法人社長、国際業務部長などを経て2006年退職。08年、還暦でライフネット生命を開業。12年、東証マザーズ上場。10年間社長、会長を務めた後、18年1月から立命館アジア太平洋大学（APU）学長に就任。著書に『人類5000年史Ⅰ～Ⅲ』（ちくま新書）など。

ライフネット生命保険の創業者であり、現在は立命館アジア太平洋大学（APU）学長を務める出口治明さん。出口さんに、多くの駄言の背景にあるジェンダー問題の解決が、なぜ今、日本で重要視されているのかを聞きました。

今なぜジェンダー問題の解決が重要になっているのか

私は皆さんと一緒に、今の日本社会における**多くの「駄言」の背景にある「ジェンダー問題」**について考えてみたいと思います。ここで質問です。**なぜ今、この日本では、ジェンダー問題の解決が重要になっているのでしょうか。**

平成の30年間を3つの数字からチェックすると、その理由が浮かび上がってきます。まず、**日本の世界におけるGDP（国内総生産）シェア（購買力平価により算出）は、9％から4％へ**と半分以下に落ちました。スイスのビジネススクールIMDが発表する**国際競争力では、日本はトップから30番に**落ちました。**平成元年の世界のトップ企業20社のうち14社は日本企業でしたが、平成30年には0社に**なりました。

GDPのシェアは半分以下になり、国際競争力は落ち、世界トップ企業から日本の企業が姿を消した――この理由は、米IT大手4社のGAFAや中国IT

大手3社のBAT、ユニコーン（時価総額10億ドル超の未公開企業）に象徴される**新しい産業を日本が生み出せなかった**からです。

その一番のキーワードが「女性」です。

需給のミスマッチを解消せよ

30年前の日本は製造業が中心でしたが、今や製造業がGDPに占めるウエイトは2割ぎりぎりです。**今の日本をけん引しているのはサービス**産業です。**このサービス産業のユーザーは、全世界でどんな統計の取り方をしても6～7割が女性**です。**世界の需要をけん引しているのが女性なのに、供給サイドである企業幹部には男性しかいない。**もっと簡単に言えば、

写真提供／立命館アジア太平洋大学（APU）

日本経済をけん引していると自負している50～60代のオジサンに女性の欲しいものが分かるかどうかという問題。つまり、**需給のミスマッチという問題が深刻**なのです。

ヨーロッパのほとんどすべての国は（ジェンダーごとの比率を義務づける）クオータ制を導入し、大成功しています。男女同権とか、男女平等とかいう以前に、**クオータ制で女性を引き上げて需給のミスマッチを是正しなければ、日本の経済は停滞したまま**で、社会全体は良くなっていきません。

歴史的に見ると、実は日本は女性が強い国

日本の女性の地位の低さはジェンダー・ギャップ指数のいわゆる**「121位ショック」**（※）で、皆さんもよくご存じですよね。とても根が深い。古い価値観の上にあぐらをかいて、つまらぬ「駄言」を吐いている場合ではありません。

日本の歴史を振り返ると、実は女性が強い国だということが分かります。日本という国号ができたのは、文書で明らかになっているのは701（689）年です。天皇という称号もこのときにできました。この国を象徴する日本という名前、天皇という称号を作ったのは持統天皇、女性です。

日本の天皇家は、男系だとか一部の人は言っていますが、そんなことはなく、日本の天皇家の祖先とされるのは天照（あまてらす）で、こちらも女性です。

この神話は世界で極めて特異で、天照は子どもではなく孫の瓊瓊杵尊（ににぎのみこと）に位を譲っています。これは持統天皇が孫の文武天皇に位を譲ったことを投影し、正当化するためだというのが学者の説です。日本をつくったのは女性だと言えるのですね。

日本が女性に仕切られていることをまずいと思ったのか、奈良時代の女性天皇である孝謙天皇（称徳天皇）は道鏡との恋に狂ったという話がねつ造されました。現在の学者の間では、道鏡と孝謙天皇の間に男女関係はなかったいうことがほぼ通説になっています。つまり、女性の天皇をおとしめてきたのです。

それでも日本は、女性が圧倒的に強い国でした。

江戸時代の一番の危機は、8代・徳川吉宗です。100年以上、家康、秀忠、家光とつないできた徳川家の本家が潰れて、紀州徳川家から吉宗を迎えた。なぜ筆頭家の尾張ではなく次席の紀州から迎えたか。6代家宣の妻、天英院の鶴の一声です。「死んだ夫は、次の将軍は吉宗だ、と言った」と。そんなもの誰も分からないわけです。遺言もないわけですから。つまり、女性が将軍を決めているわけです。日本は江戸時代までは、女性がすごく強かった。

明治維新から男尊女卑が始まった

明治以降、これが逆転したのはなぜか。明治維新でネーションステート（国民国家）をつくるとき、チンギス・ハーンやジャンヌ・ダルクといった、誰もが納得する英雄が日本にはいなかったので、天皇制をコアにし、そのときに家制度もセットにしたのです。日本国民は全員、天皇の「赤子（せきし）」であるとし、日本の神道にはまったくその理論がなかったので、朱子学のロジックを借りてきて、天皇制をつくったわけです。

朱子学は男尊女卑で有名です。このときに家制度を守るために、結婚したら男女は同姓になるという制度もつくられました。この辺りの経緯は、『天皇と儒教思

想 伝統はいかに創られたのか?』(光文社新書)に詳しく書かれていますが、いまだに、不勉強な人は「日本の天皇陛下は米を植えられる。皇后陛下は蚕を飼われる。奥ゆかしい万世一系の伝統だ、瑞穂の国だ」と言っています。でもこれらはすべて明治以降に朱子学を借りてつくられた伝統で、江戸時代以前の天皇陛下、皇后陛下を見ると、誰一人、米を植えたり、蚕を飼ったりしていません。

明治時代に国民国家をつくるために朱子学のロジックを借りてつくられたものが、日本における男尊女卑の根本原因です。

元来、日本は夫婦別姓の国です。源頼朝の妻は北条政子です。OECD(経済協力開発機構)に加盟する37カ国の中で、法律婚の条件で夫婦同姓を強制しているのは日本だけです。夫婦別姓は「日本の伝統ではない」とか「家族を壊す」などといっている人は単なる不勉強か、イデオロギーや思い込みの強い人たちです。これがまず、日本の男女差別の根源です。

高度成長期の歪んだ制度

これに加えて、戦後日本は国を復興するため、**製造業の工場モデルに過剰適応したこと**が挙げられます。機械は疲れないので、製造業は24時間操業が理想です。製造業の工場モデルにとっては、力の強い男性の長時間労働が適しているので、戦後の日本は**「配偶者控除」**とか**「第3号被保険者」**とかいう、ゆがんだ制度をつくって性分業を推進してきたのです。

さらに加えて、それだけでは不十分だと

思って**「3歳児神話」**をでっちあげたわけです。「赤ちゃんはお母さんが面倒を見なければダメだ」と。こんなもの嘘っぱちもいいところですよね。

ホモサピエンスは20万年しか歴史がありませんが、19万年は放浪していました。**定住を始めてわずか1万年**です。ホモサピエンスの群れが泉が湧いている場所を見つけてキャンプしようと考える。そうしたら赤ちゃんは1カ所に集めて預け、ケガをした人や高齢者が面倒を見て、男も女も森に入っていかなければ、ご飯が食べられなかったのです。このように**ホモサピエンスは集団保育で社会性を養ってきた**生き物なので、子どもを保育園に預けるのは当たり前なのです。

男は鹿やマンモスの狩りに出掛け、女はハチミツや木の実を探しに出掛けます。でも鹿やマンモスはそれほど頻繁に獲れません。グレートジャーニー（人類が世界に広がっていった人類最大の旅路）、移住時代のホモサピエンスの食料の**6割以上は女性が集めてきたもの**だったのです。だから、女性は家にいて、赤ちゃんの面倒を見る余裕もなかったし、そんなことをしたら、ホモサピエンスも食べる物がなくて死に絶えていたわけです。

知識は力なので、やはりジェンダーの問題を考えるときは、こういう構造問題を考えなければなりません。

家族愛や母性愛というものは、オキシトシンというホルモンの作用で生まれます。女性は出産時にオキシトシンがたくさん分泌されます。それはなぜか少し説明しましょう。ホモサピエンスの特徴は、頭が大きくて二足歩行です。これは絶対矛盾です。二足歩行であるホモサピエンスは、骨盤が小さくなって、産道が細くなります。赤ちゃんの頭が大きいと、細い産道を出られません。だからホモサピエンスは正常分娩でも未熟児に近い状態で生まれます。

つまり、「二足歩行」と「大きい頭」という方程式を解くためには、未熟児すれすれで生まれるしかない。動物の赤ちゃんは生まれて2～3時間もすれば立ち上がって歩き出しますが、ホモサピエンスは未熟児すれすれで生まれるので誰かに面倒を見てもらわなければ死んでしまいます。だから女性は出産時に家族愛のホルモンであるオキシトシンが出て、赤ちゃんの面倒を見るわけです。

男性が育休を取るのはオキシトシンのため

では、男性はオキシトシンが出るのか。出ます。これは日本の脳研究者である池谷裕二さんが『パパは脳研究者』（クレヨンハウス）という本の中で、**男性は赤ちゃんの面倒を見ることによってオキシトシンが出て、家族愛を抱く**と説明しています。

だから僕は、**男性も育児休業を取って最低でも1～2カ月は赤ちゃんの面倒を見るべきだ**と考えています。男性に育休を取らせるというのは、男女平等とか、そういう話ではなく、男性が家族愛を育むために不可欠だというサイエンスがベースになっているのです。

ジェンダーやインクルージョンに関し

て理解するには、このような歴史的、科学的なエビデンスをベースに考えなければなりません。

駄言が生まれる理由は「不勉強」

駄言がなぜ、生まれるか。僕に言わせれば、その理由は「不勉強」に尽きます。

歴史や科学、世界の常識に対する理解が浅すぎる。年2000時間も働いて飲みニケーションをしていたのですから、無理もないでしょう。

ジェンダーやインクルージョンについては、表層的な理解で何となく議論していても何も変わりません。一人ひとりがエビデンスやデータに基づいた本を読み、自分の頭で理解して腹落ちさせていかなければ、訳の分からない目標だけが一人歩きしてしまいかねません。

例えば、今、男性社員の育児休業取得率の目標値を達成するために頑張っている企業も多いようです。しかし、**男性が育児休業を取得すべき理由を忘れてはいませんか？** 赤ちゃんをお世話することでオキシトシンというホルモンが分泌し、家族愛を持った父親になるためですよね。たった3日会社を休んで育児を「手伝う」程度では、産後間もない妻にとってはかえって足手まといになりかねません。ここは少なくとも1カ月くらいは休んで、育児を主体的に担うべきです。実際、僕が還暦で創業したライフネット生命では、男性社員もだいたい3カ月は育児休業を取得していました。

個人差は性差を超える

さらに、**いわゆるジェンダー平等論と「男女は違うけれど平等だ」という異質平等論は違うということにも注意が必要**です。異質平等論を採る限り、LGBTQは理解できません。異質平等論というのは、ジェンダーに対して、優しいように見えながらすべての物事を男性か女性かという二極に当てはめるわけです。これでは**LGBTQの人が生きづらく、極めて偏狭な間違った理論**です。むしろ**全世界の流れは、「個人差は性差を超える」**というのが大前提です。

これに基づいて考えると、**男性の強み、女性の強みというものなどありません。**男女の特徴を学者が分析した結果は、筋量は男性のほうが明らかに多い。体が少

し大きくて筋肉の付き方が違うので、筋力が男性のほうが強いという以外の差は、動物学的・生物学的には一切ないことが分かっています。

だから、**男性の強みとか、女性の強みといった考え方そのものが間違った考え方でゆがんでいます。個人差は性差を超えるのです。**米国の優れたIT企業では人事部のデータには、性別も年齢も国籍も一切書かれていません。そうした情報を明記することにより生まれるバイアスを排除しています。人事を検討する際には、**今何をやっているか、過去にどんなことをやってきたか、将来何をしたいのか**——、この3つで判断しているのです。

2020年、ベルリン国際映画祭が男優賞、女優賞をやめ、俳優賞に統一すると発表しました。私たちは世界の流れをもっと見なければいけないですね。

「人・本・旅」を大事に生活する

高度成長期の日本の会社員がやってきた「メシ、風呂、寝る」を繰り返す毎日を一刻も早く脱却して勉強しなければ、日本の社会や経済はダメになってしまいます。駄言を聞かずに済む社会をつくるためにも、僕がいつも提案していることを実践してください。**1日の労働時間を2時間×3の塊にして、休み時間もしっかり取る。そして「人・本・旅」を大事に生活すること**です。

人に会い、本を読み、現場に足を向け、

脳に刺激を与えてアイデアを生み出す。そんな生産性の高い国になれば、駄言はおのずと日本から消えていくのではないでしょうか。

※：世界経済フォーラム（WEF）が2019年12月17日に発表した「ジェンダー・ギャップ指数（男女平等指数）」。日本は史上最低の121位だった。2021年3月31日に発表された調査結果では120位。

駄言の原因の多くは「ミスコミュニケーション」

ポーラ社長

及川美紀

おいかわ・みき／宮城県石巻市出身。1991年、東京女子大学文理学部英米文学科卒業、ポーラ化粧品本舗（現ポーラ）に入社し、営業部配属。埼玉エリアマネージャー、商品企画部長を経て、2012年、商品企画・宣伝担当執行役員。14年、商品企画・宣伝・美容研究・デザイン研究担当取締役。20年、代表取締役社長に就任。

ポーラ社長の及川美紀さんに、女性管理職にまつわる駄言2つと、その背景の考察、そして、駄言をなくすための方法について聞きました。

上司による不要な「優しい配慮」

これまで私が言われた「駄言」ですか？　たぶん山ほどあったのですが、ほとんど忘れてしまいました（笑）。長年、経験を積む中で耐性も付き、駄言を駄言と感じずに笑い飛ばせるほどになってしまいました。**でも、こうした感覚の鈍りはよくないこと**です。本当は、**駄言に対して常に違和感を持って声を上げ続けなければいけない**と思っています。

そんな私が、**今でも時々耳にして、憤りを感じる駄言が2つ**あります。

1つ目は、**「彼女は○○だから、今回リーダー候補にするのは見合わせようと思います」**という発言です。この「○○」には例えば、「妊娠を希望している」「出産を望んでいる」といった女性特有のキーワードが入り、「リーダー候補」のところには「昇進試験を受けさせる候補」や「タスクのチームメンバー」などが入ります。リーダーになる候補者を決めたり、昇進試験を受けてもらう人を決めたりする場

面で、いまだによく聞くフレーズです。

上司からすれば**「優しい配慮」**という感覚でしょうし、本人に悪気はないのですが、私はその発言を聞くたびに**「何を言っているんだろう」**と思ってしまいます。

自分にとって身近な女性が妊娠中に大変そうにしていた、あるいは、自分自身がそのような経験をしたために、そう言ってしまうのかもしれません（男性上司に限らず、女性上司が発言する場合もあります）。でも私からすれば**「出産を望んでいるだけで、今すぐ出産するわけではない。遠い未来を想像しすぎ」**だとしか思えない。**「かもしれない」で可能性を閉ざされる女性たちがまだいる事実**に愕然とします。

撮影／木村 輝

たとえ妊娠しても、翌日いきなり子どもが生まれてくるわけではなく、出産まで少なくとも5～6カ月の猶予がある。妊娠中の体調だって人それぞれですし、育休復職後、どうしたいかという意思も人によって違います。それなのに**本人に意向も聞かず、「妊娠する可能性があるから」「つわりが大変かもしれないから」「育児と仕事との両立は大変だから」と前倒しで想像して、当人の可能性を潰してしまっている**のではないかなと感じます。

妊娠中や育児中は、もちろん特別な配慮が必要ですから、そこは**本人とコミュニケーションを取り、「私はあなたをリーダー候補に推薦したいけれど、急に事情が変わったら教えてね。大変な部分はサポートするよ」と言えば**いいんです。

妊娠・出産は女性には常にあり得ることですが、**男性にだっていつ何時、何が起きるか分かりません。**極論すれば男性社員を指して、**「○○さんは将来、退職して独立するはずですから、次の昇進試験は見合わせますね」**と言っているのと同じことだと私には思えます。「私は部下の状況をよく分かっている」という考えから出てくる「優しい駄言」だなと思いますが、**過剰な優しさは時として人の可能性を摘んでしまう**ものです。

多くの方は、出産など、自分が望む家族生活の実現とともに、仕事を通じて成長することを望んでいますから、それを両立させるためにも、**職場においては普段からできるだけ本音で話せる関係を構築することが大事**です。もし直接話すことが難しくても、**コミュニケーションを**

複線化させておくことが駄言を解消する一つの方法ではないでしょうか。

「うちの会社の女性は管理職になりたがらない」

さて、2つ目の駄言は、他社の男性役員からよく聞く、**「うちの会社の女性たちは課長という仕事にどうも魅力を感じていないらしい」「うちの会社の女性たちはあまりキャリアアップしたがらないんだよ」**というもの。女性活躍などのテーマについて話し合う会議の場で、このような相談を山ほど受けます。

これは言い換えれば**「当社は女性が管理職になれる環境をつくっていません」**と言っているのと同じことです。加えて女性たちに対して、いくつかの誤解や認識違いもあります。

まず、「うちの会社の女性たちは……」と主語が不特定多数であることに疑問を感じます。女性10人に言って、10人に断られたのでしょうか？ **数人そういう人がいただけで「女性は……」とくることに、違和感を持ってしまいます。**女性たちは**「管理職になることに不安がある」だけで、「なりたくないわけではない」**のだと思います。ですから「女性には管理職になることへの不安を持つ人が多い」というのであれば分かります。

また、もしかすると、この男性たちは**女性社員の言葉をうのみにしているのか**もしれません。多くの女性は、自分を大きくアピールするのは気恥ずかしいし、自信満々のように見られて嫌だと思うものです。私の経験上、男性には「あなたは次、課長ね」と言うと「お任せください」と自信満々で快諾してもらえる場合がありますが、女性でそう言う人はほとんど会ったことがありません。

女性には、**「自分がやっていることは正しいか」**と不安を抱きながら、周りと協調することを重視したり、職場に貢献できているかを気にしたりしながら仕事をする人が多いように感じています。

さて、「うちの会社の女性たちは課長になりたがらないのですが、どうしたらいいでしょう」と相談されて、私が相手に聞く質問が3つあります。1つ目は**「本当に女性を課長にしたいと思っていますか？」**というもの。

管理職へのステップアップを1回断られたぐらいで諦めるのなら、その女性社員の管理職就任に対して、そこまで本気ではないのでしょう。本当にその女性社員の能力を買っているのであれば、どういう能力を発揮してほしいか、彼女のどんなところを評価しているのかを具体的に伝えながら、彼女が力を発揮できる環境を整えてあげればいいのです。**「何度も何度も説得したのですが、首を縦に振ってくれない」**というのでない限り、共感できません。

女性のリーダーシップに期待しているのなら、**女性が管理職として能力を発揮できるのはどんな環境なのか、彼女たちに期待している気持ちを伝えるにはどんな言葉を掛けるべきなのか**、という視点で考えてほしいのです。

私の感覚では、女性は**「家庭にも職場にも迷惑を掛けたくない」**と強く思っている人が多い。だから、長時間残業など、従来の労働環境を押しつけたら、家庭と仕事の両立への不安が膨らみ、拒否されるのが当たり前です。女性社員が管理職になりたがらない会社は、その**女性社員を疑う前に、自社の制度とサポート体制、ダイバーシティ・マネジメントの在り方を疑ったほうがいい**のです。

２つ目は、**「管理職になりたがらないのは、その人が女性だからですか？」**という質問です。

今、女性だけではなく男性にも**「管理職になることで仕事時間が増える」**ことをよしとしない人が増えてきていると感じています。本質を見ると、**管理職が嫌なのではなく、自分の時間をさらに長く会社に取られることを嫌がっている場合が多い**のはないでしょうか。

3つ目は、**「あなたの会社には、女性社員の働き方をサポートする制度や、社員がその制度を使いやすい風土がありますか？」**という質問です。妊娠・出産など、女性に特有の環境変化に配慮する仕組みは必要です。さらに、制度を整えるだけではなく、それが使いやすい社風かどうかもとても大事です。制度を使いながら、働き方をどうデザインしていくか、**上司と本人が本音でコミュニケーションをしながら考えていく環境**があれば、女性社員は心強く思うでしょう。

管理職になると、仕事をデザインできる範囲が広がる

さて、多くの人が抱える「管理職になると仕事時間が長くなるのでは」という不安について、実際はどうなのか考えてみます。**昇格して管理職になっても、仕事量はさほど変わらないというのが私の結論**です。もちろん、**仕事の責任の範囲は広がり、質も上がります**。ただし、その仕事を一人ではなく、**メンバーと共に、チームで担うことができるようになる**のです。

例えば、課長になった場合、上司から振られた仕事を課長の裁量でどう対処するか考えることができます。新しい仕事を引き受ける代わりに優先順位の低い仕事をやめることもできます。自分のチー

ムにいるメンバーの適性を見て仕事を割り振って、**チーム全体を最適化することもできます。マネジメントの能力さえあれば自分の時間をつくることは可能。**それが管理職の仕事です。

私が言いたいのは、**管理職になることをあまり怖がらないでほしい**、ということ。管理職になるとは、自分でチームの仕事をデザインできる範囲が少しずつ広がることだと捉えてほしいのです。

駄言の原因は「ミスコミュニケーション」

さて、**駄言の原因の一つは「ミスコミュニケーション」にあることが多い**と思います。本当は性別にはとらわれない多様な人たちの集まりなのに、「女だから」「男だから」という**何となくの性別イメージに縛られて、画一的な枠でくくってしまう。**例えば、誰か一人の女性が「管理職になりたくない」と言うのを聞くと、「女性は皆、管理職になりたがらない」と思ってしまうのもその一例でしょう。

まだ「n＝1」が女性の代表として捉えられやすい

もしある男性社員が「今、妻が体調を

崩していて、看病する必要があるので今期は管理職にはなれません」と言ったからといって、「男性は管理職になりたがらない」と言うでしょうか。言いませんよね。それなのに**女性は「n=1」の言葉が女性全体の言葉として捉えられてしまいがち**で、これはすごくもったいないことです。

例えば「及川さんは話が長いよね」というのはよい。私は話が長いほうなので(笑)。でも、私の話が長いことによって「女性は話が長い」と言ったらそれは間違いです。

日本の女性はさまざまな場面で、まだまだ数が少ないために「n=1」を女性の代表として捉えられやすい、という一面もあります。だからこそクオータ制を導入するなどして、女性の数を増やさなければいけない。そして「女性にもいろいろな個性がある」ということを理解してもらいたいと思います。

社内で髪を振り乱して仕事をしていたりする私の姿を見て、「ああはなりたくない」と思われてしまい、**「女性管理職になったら、皆、及川さんみたいに仕事をしないといけないのでしょうか」**と聞かれることがあります。そんなときは、「いやいや、もっとスマートに短時間で成果を上げて仕事をしている女性管理職はたくさんいますよ」と答えています。

男性にだって、髪を振り乱して仕事をしている人もいれば、短時間でスマートに仕事を仕上げる人もいますよね。男性管理職全員が理想の上司かというとそうではないはずです。それなのに「女性管理職」というと、限られた人数のモデルの違和感のあるところだけを思い浮かべて「ああはなれない」と思ってしまいがち。それは本当に残念だなと思うわけです。だから**女性管理職の割合を増やして女性管理職のロールモデルを多様化したい。**私はそう思っています。

人はステレオタイプに当てはまる人ばかりではない

今は時代が少しずつ変わってきていて、**「人はそんなにステレオタイプに当てはまるような人ばかりではないよね」**ということを分かっている人が増えています。社会が成熟してきているのでしょう。

また、海外に比べて**日本がジェンダー意識の面で遅れているという事実を意識する人も増えてきました。**米国でバイデン政権の副大統領に女性のカマラ・ハリスさんが就任したり、コロナの中で世界の女性リーダーたちが頑張ったりしているのも見ている。そんな中、**「女性とは」と簡単にひとくくりにすることへの違和感を女性も男性も持つようになった。**

以前は企業の中で女性は少数派でしたし、男性社会で存在感を発揮するには、一定の「働く女性」像に適合せざるを得なかったので、「女性」という枠で「くくる」ことが可能でした。でも、だんだん女性の数も増えて「女性」でくくりきれなくなるほど、さまざまな人が働き出し、**女性自身もひとくくりにされることに対して違和感を持ってもいいと気づき始めています。**また、「女性」というくくりは一例であって、何かしらの概念でくくったり、くくられたりすることへの違和感を、皆が持ち始めているのだと感じています。

人はくくりたい生き物。カテゴライズは楽しむもの

しかし、一方で人間は「くくりたい」生き物でもあります。何らかの共通点を見つけてくくって、仲間意識を持ちたがるのです。

こうした「カテゴライズ」は仲間として楽しんでいるうちは全然いいのです。「私、宮城県出身なんですよ」「私は岩手県です。同じ東北出身ですね」と言えば一気に親近感が湧いて楽しいですよね。でも、誰かに「東北人って○○ですよね」

とネガティブなことを言われたら、どうでしょう? **違いは楽しむものであり、尊重するものという大原則を肝に銘じておきたい**と思います。

「～らしさ」の押しつけはダメ

とにかく、**皆が他人に何かを押しつけたり、何かを押しつけられたりせず、自分の好きなスタイルを貫ける世の中になれば、もっと生きやすくなるよね、**と思うのです。**「女性らしく」「男性らしく」という言葉は、もうなくしてもいいのかもしれません。**私自身、ハイヒールやネイルも好きですが、これは私が女性だからではなく、スタイルとして好きというだけのこと。コスメといえば女性のもの、というイメージがあるかもしれませんが、男性にも、コスメを使いこなすメイク好きの方はたくさんいます。

組織には、公正な多様性を

ちなみに、**私は仕事のチームを軸にメンバー構成を考えるときに性別を編成することがありません。これは意思決定層にいる女性の比率がそもそも高いという当社の背景が影響していることでしょう。**当社がデータとして正確な比率を把握し始めたのは2016年で、その年の**女性管理職比率は約30%、役員女性比率も約40%です。過去5年間の数字を見ると、女性管理職比率は少しずつ増えています。**こうした環境ですから、個性やスキルなどを考慮してチーム編成をするだけでも、必然的にジェンダーが混ざるというのが当社の状況です。ただ、当社のように女性が既に少数派ではない会社は、日本の社会ではまだ少ないでしょう。男性の人数が多い会社では、ジェンダーの混成は強く意識する必要があると思います。

当社では**総合職の男女比は1対1**です。しかし、課題はあります。ここのところ、**女性管理職比率が約30％のラインで停滞している**のです。本来、能力のある人材を男女を1対1の比率で採用しているので、可能性としては管理職比率も半々になってしかるべきです。そうなっていないのは、やはり女性の人材育成に課題がある、サポート体制に課題があると言わざるを得ない。出産や育児などのライフステージを経ても実力を発揮できるようにするにはまだまだ課題は山積みです。そうした背景から、当社では**2029年までに女性管理職比率50％を達成する**という目標を掲げています、**2025年までに前倒しで達成する勢い**で、あらゆる対策を取っているところです。

上位者は自らが持つポジションパワーを自覚すべきだ

現在、リモートワークも増えているので、社内の駄言を予防するためにも、**1on1（上司・部下間の1対1の定期的な対話）などのコミュニケーションがものすごく大事**になってきています。前述のように、**駄言の多くは勝手な思い込みによるミスコミュニケーションから生まれる可能性が高い**。それを防ぐためには、上司が部下とこまめに対話をして、信頼関係を構築したり、お互いの人間性を理解したり、状況をできるだけ詳しく共有したりしておくことが効果的です。できれば直属の上司だけではなく、隣の部署の上司だったり、先輩や後輩だったりとの対話の場も意識して設けて、コミュニケーションを複線化しておいたほうがいいでしょう。

その中で気を付けたいのは、**上位者にはポジションパワーがある**ということ。ポジションパワーって、持っている本人は意外と気づかないんです。上に立つ人ほど、メンバーが自分の事情を本音で話せる状況をつくることができているかを常に考える必要があり、自分のポジションパワーを認識してコミュニケーションすべきです。

今後も新しい駄言がどんどん生まれてくるはず

さて、**将来、駄言がなくなることはない**と思います。今ある駄言がなくなっても、また新しい駄言が生まれるでしょうから。例えば、今は「女らしさ」「男らしさ」が駄言として取り上げられることが多いですが、これをクリアした先には新たな駄言が出てくるはずです。これは**社会の気付きであり、変化を生み出す機会でもある**と思います。

駄言は、社会的強者が弱者を理解せず、尊重もしないでする発言です。**自分の価値観を他人に押しつけることなく、違いを尊重できるようになること**。それこそが私たちが身に付けるべき力なのだと思います。

「知らなかった」では済まされない駄言もある

NPO法人東京レインボープライド共同代表理事

杉山文野

すぎやま・ふみの／1981年、東京都生まれ。トランスジェンダー。フェンシング元女子日本代表。早稲田大学大学院でセクシュアリティを中心に研究し、2006年『ダブルハッピネス』（講談社）を出版。一般企業に約3年勤めた後独立。飲食店の経営をしながら、講演活動などLGBTQの啓発活動を行う。親友から精子提供を受け、パートナーとの間に2児をもうける。現在は親友を交えた3人で子育てに奮闘中。

トランスジェンダーである杉山文野さん。周りから「〜らしさ」を押しつけられる駄言を言われた経験から、大事なのは「自分らしさ」であり、「自分の心の声を聞くことだ」と言います。駄言をなくすための方法もさまざまに提案してくれました。

「男らしさ」「女らしさ」「トランスジェンダーらしさ」の押しつけ

これまで「駄言」という言葉を使ったことはなかったのですが、「セクハラ」「パワハラ」のように呼び名を付けることによって、皆で共通認識を持つことは大事だなと思います。

僕の場合、言われた駄言がたくさんありすぎて、どれを紹介しようか悩んでしまうぐらいです。でもやっぱり**「男らしい」「女らしい」**という意味合いの駄言が多かったと思います。

僕は最初、杉山家の次女として生まれて女性として育てられ、あらゆる場面で、**「女の子らしくしなさい」**と言われました。29歳でトランジション（身体的な性別移行）をした後、甘い物好きの僕がケーキを食べているのを見た友人からは**「そういうところはやっぱり女だよな」**と言われました。つまり今度は「男らしさ」を求められるようになったのでした。僕は別に**男らしさが欲しかったわけではなく、**

ただ自分らしくありたいと思っただけなのに。

はたまた「トランスジェンダーらしさ」を求められることもありました。トランスジェンダーとはとても幅の広い言葉で、中には「（性別適合の）手術をしなければいけない」と思う人もいれば、「手術まではしなくてもいい」と考える人もいます。僕が手術をしていなかったときには**「本物のトランスジェンダーではない」**とトランスジェンダーの人に言われたこともありました。

1981年、杉山家の次女として生まれる（左から2番目）

写真提供／本人

「男らしさ」「女らしさ」はあくまで平均値

ここで「男らしさ」「女らしさ」という言葉について考えてみます。男性のほうが筋肉量が多く、身長が高く、体重が重く、ヒゲが生える。女性は男性より体に丸みを帯びている。このように生物学的な差は平均的に見れば事実です。でもだからといって身長190cmの女性がいないかというとそんなことはないし、力の弱い男性だっています。**「男らしさ」「女らしさ」とは、戦争や経済成長における男女の役割分業など、さまざまな社会的背景の中でつくられてきたもの**なのではないでしょうか。

「～らしさ」の強要はいけない

「男らしさ」「女らしさ」というものの すべてがいけないというつもりもありません。強くてリーダーシップがあることを「男らしい」というのであれば、それがいけないとは思わない。「ヒゲで短髪でマッチョ」が「男らしくて好き」だという人はそれでいい。でも、**「～らしさ」の強要はいけない。**ヒゲも別に好きじゃないし、筋肉なんて要らないと思っている男性に、「おまえそれは男らしくないよ」と、**第三者が勝手な価値観を押しつけることがいけない**のだと思うんです。

男女を分けることも別に悪いことではありません。便宜上、分けなければいけないときもあるでしょう。ただ、それがすべてではない。

便宜上分けることはあっても、「それ以外」が認められないということではない。そういう共通認識を皆が持てるようになれば、もう少し良い社会になるんじゃないかと思います。

「男らしさ」は別に要らない。欲しいのは「自分らしさ」

僕は手術で胸を取ったときに**「元に戻った」**と思ったし、もともと女性であったというコンプレックスの反動として、男性らしさの象徴としてのヒゲや筋肉を求めているという側面もゼロとは言えないかもしれません。でも、突き詰めて考えれば、**僕は「男らしさを求めている」のではなく、「自分らしさを求めている」**。シンプルに僕自身はヒゲや短髪、筋肉が好きというだけのことです。

「こうありたい姿」と「周りからの評価」を近づけたい

ここでもう一つ考えるべきポイントがあります。それは**「自分らしさ」には「自分で評価する自分らしさ」と「周りから評価される自分らしさ」**があるということ。その**2つの「自分らしさ」に大きなズレがあると居心地が悪い。**

「周りの目なんて全く気にならない」と言えるぐらいになれればいいですが、なかなかそこまでは振り切れないものです。この「こうありたいという自分」と「周りから見られている自分」が一致してくると格段に居心地が良くなってくる。

社会からの評価は、社会が持つアンコンシャスバイアスが変わらなければ変わりません。

僕の場合、NPO法人東京レインボープライドの活動など、少なからず社会の目線を変える活動にも重きを置いて日々を生活しています。

少なからず僕自身の中にも偏見があります。**最初はトランスジェンダーである自分を認めることができなかった。**でもそこから少しずつ**「自分がありたい姿とはどういうものなんだろう」**と突き詰めて考えるようになった。そのプロセスの中で、周りからの杉山文野への評価やLGBTQやトランスジェンダーへの見

「東京レインボープライド2018」にて（右端）

方が変わってきた。そういういろいろなものを総合して、今はだいぶしっくりきている感じはあります。

でも、「自分らしさ」はかっこよかったり素晴らしかったりする部分だけではなく、すごく情けない部分や恥ずかしい部分、どうしようもない部分とかも全部大事。それらを全部含めて自分だと思えて、初めて自分らしくあれるようになったと思っています。

自分は自分以上でも以下でもない

本を出したりメディアに出たりすると、自分が知っている人の数よりも、はるかに多くの人に知られるようになる。そのときに僕は「自分がどうありたいか」よりも「周りからどう見られたいか」を考えてしまったんです。**周りから「男らしさ」「女らしさ」「トランスジェンダーらしさ」という「〜らしさ」を求める声のシャワーを浴びるうちに、自分の心の声が聞こえなくなりました。**人から「こうすべきだ」と言われた通りにしてみたりして、自分を見失った時期もありました。でも最終的に**「自分は自分以上でも以下でもない」**という考えにたどり着いたときに、すごくふに落ちたんです。

昔なら「おまえ、やっぱりちょっと女っぽいな」と言われれば少しはカチンときていましたが、そのときからはそういうことを言われても、僕を女性だと思う人にとってはそうなんだろうな、と。「おまえは絶対男だよ」と言う人にとっては僕は男性なのでしょう。**もはや男とか女とかはどうでもよくて、周りからどう評価されようとも、自分は自分以上でも以下でもない。**そう考えられるようになったときに少しラクになりました。

知っている物差しでしか物事を見られないから、駄言が生まれる

誰もが**自分が知っている物差しでしか、なかなか他のものを見られない**ということなのだと思います。僕自身も例外ではありません。

（ある物事を）「知らない」という感情と「嫌いだ」という感情は非常に近しいと思っています。**人は知らないものに対しては怖いと思う心理が働く**のではないでしょうか。「おばけ」も「宇宙人」も正体が知れないから怖い。でも、正体が分かってしまえば何てことはない。それでいうと、やはり**ある人たちのことを「知らない」ことが駄言に結びついてしまう場合が多い**と思います。

知らないから、自分が知っている情報だけに基づいて判断してしまう。例えば**10人の女性としか話したことがない人にとって、女性に関する情報は10人分しかない**わけです。もしその女性が全員、髪が長くてしおらしかった場合、その人は「女性はこういうものだ」と思ってしまう。でも、100人、1000人、何万人の女性と会って話をしている人ならば「女性といってもいろいろな人がいる」と考えることができる。

「ゲイの友達が1人いるから、ゲイのことは分かっている」

またこれは一例ですが、「僕はゲイだ」とカミングアウトする人がいたときに「**あぁ、俺、ゲイの友達が1人いるから、ゲイのことは分かってるよ**」と返す人がいます。ポジティブに受け止めてくれるのはいいのですが、1人ぐらいゲイの友達を知っているからといってゲイのすべてが分かるわけではないでしょう。それは日本に1回行ったことがある人が、日本のすべてを語ろうとするぐらい無謀なことですからね、と僕は思うんです。

こんなふうに駄言を言う人には悪気がない。相手を「懲らしめてやろう」と言っている人のほうが少ないと思うんです。でも、知らないと傷つけてしまうことがあるし、同じように自分の価値観を一方的に押しつけているつもりはなくても、相手に「押しつけられている」と思われてしまうこともある。

「知らなかった」では済まされない駄言もある

LGBTQに関しても、ほんの10年ぐらい前は本当に知られていませんでした。僕もトランスジェンダーであることを親から強く批判されたこともあったのですが、後になって「**ごめんね、あのときは本当に何も知らなかったんだよ**」と言われました。当時は僕もつらかったのですが、今振り返れば「**そりゃそうだよな。僕の親世代なんて、そうした正しい知識に触れることもなく大人になっているか**

らな」と思えます。

でも**さすがに今の時代では、（LGBTQに関して）「知らなかった」では済まされないような量の情報が出ている**のですから、もはや「知らなかった」と言うことはできません。今、LGBTQに関して駄言のような発言をしてしまう人は、もう勉強不足としか言いようがない。

国会議員がLGBTQに対して「生産性がない」と言ったり、東京都の区議が「（LGBTQの子どもが増えたら）区が滅びる」という発言をしたりしました。あの人たちにも悪気はなかったのでしょう。「生産性がない」というのは、同性カップルは子どもが持てないことを指しているのだと思います。でも、僕自身、親友の男性の協力を得て、僕のパートナー

2018年、親友・ゴンちゃん（松中権さん、右端）から精子提供を受けて、パートナーが第1子を出産

との間に2人の子どもを持つことができています。いろいろな方法で、同性カップルにでも子どもは持てますし、子どもを育てる能力もあるのです。政治家という立場でありながら事実に反した発言をするということは勉強不足であり、罪は大きいのではないでしょうか。それ以前に、僕の子どもの話は一例に過ぎず、そもそも生産性で人の価値を判断すること自体、もっての他だということは言うまでもありません。

求められるのは平等さより公正さ

セクシュアリティについて考えるときに僕が大事だなと思う概念に**「イクオリティー」**と**「イクイティー」**というものがあります。**「平等」**と**「公正」**です。平等というのは「(その人の状況には関係なく)皆に等しく」ということで、公正は「偏りがなく、皆に等しく」ということを指します。

例えるならば、「皆平等に」と、全国民にSサイズのTシャツを配るとする。結果、着られる人と着られない人が出ます。やはりSサイズの人にはSサイズ、Mサイズの人にはMサイズ……というふうに適したものを配るべきですよね。S、M、LをベースとしてXXSの人もいればXXLの人もいるよ、と。「いや、全員平等でSサイズを配布しますよ」という社会は果たして良い社会なのでしょうか？

例えば、身近なテーマとしてトイレについて考えてみましょう。「皆に対して公平に」と、男性用、女性用トイレのみを設置している社会があったとします。しかし、トランスジェンダーの中にはこれに困っている人たちもいるのが現実です。**公正な社会にするためには、マイノリティの意見をちゃんと吸い上げる必要があり**、それに取り組むことは決して特別扱いではありません。近年では少しずつそういったことも議論が進んできており、選択肢が増えてきているのはよい傾向だと思います。

これは小さな一例ですが、あからさまに困っている人と、特に困っていない人がいる場合に「**でも、賛否両論ありますよね」と議論をやめてしまっては、双方の力の差はいつまでも埋まりません**。メディアも、僕たちも、双方に歴然とした力の差があることをまず知ってから、リアリティを直視すること。そして、今、社会の中にどういうゆがみがあって、それをどうなくしていくかを考えるのが大事です。

「自分は大丈夫」と思わないのが第一歩

駄言をなくすためには、まず「**駄言がある」と認識することが大事**です。駄言の裏側には何らかの偏見があるはずです。**一番いけないのは、その偏見に気づかないこと。**

実際、僕自身にも絶対何らかの偏見があるでしょう。僕はセクシュアリティという側面だけで切り取ればマイノリティだし、それによって傷ついてきた過去は

ゴンちゃん(左)と

あります。でも、僕がマジョリティの立場であるイシューも他にたくさんあるし、僕が知らないところで誰かを傷つけてきたことだってたくさんあると思うんです。

それを**「いやいや、俺は絶対誰も傷つけていない」「俺には偏見がない」と思ってしまうことが一番危険**だろうと思います。偏見がいけないということではなく、偏見を持っていることを否定することが危険です。駄言をなくしていく一歩としては、**「自分は大丈夫」と思わない**ことでしょう。皆がそう思うことができても、駄言を100%なくすことはできないかもしれないけれども、なくしていく方向に進めていくことはできると思います。

駄言を言われたら、「わがふり直せ」

万が一、誰かに駄言を言われたとしても、「殴られたら殴り返す」みたいなことをやっていたらキリがないじゃないですか。だから駄言を言われたら、**「こういう駄言があるということは、自分も同じようなことを誰かに言っていないかな」**と考えるようにしてはどうでしょうか。

自分だけが被害者で、加害者はいつも自分以外の誰かなんてことはないと僕は思います。「当事者・非当事者」「マイノリティ・マジョリティ」「加害者・被害者」というのは表裏一体です。**人は自分の被害者性に関してはとても敏感ですが、加害者性に関しては非常に鈍感**なんです。だから鈍感なところに敏感になることが必要。常に「自分が被害を受けている」というだけではない視点を持つことが大事なのではないかな、と思います。

いい意味で嫌なことを言ってくれる人に近くにいてもらう

そうした視点を持つためには、**周りがイエスマンだけ、という状態をつくらない。**厳しいことを言ってくれる人や、いい意味で嫌なことを言ってくれる人にちゃんと近くにいてもらう。そういう関係性があることが結構大事かな、と。線引きが難しいんですが、そういうことを気にしながらも気にしすぎない。そういう人たちの意見を一つの意見としては聞き入れるけれど、あまり聞きすぎて自分を見失わないように。その辺のバランス感覚は難しいところではあると思いますけどね。

駄言を言ってしまったときは、謝る！

もし自分が駄言を言ってしまったら、まず謝りましょう。それはお互いさまで、幼稚園や保育園で習うような「ありがとう」とか「ごめんね」とか、使った物は片付けるとか、そういう基本のキだと思います。年を重ねれば重ねるほど「ありがとう」とか「ごめんね」という言葉が言いづらくなったり、後回しにしちゃったりとかしてしまいますが、やっぱりそういった基本的なことをコツコツしっかりやって学び続ける。そういうことから逃げない。

僕自身もいろいろな場面で人を傷つけてきてしまったこともあると思います。「知らなかったんだからしようがないよな」と思う自分もいなくはないのですが、他の人の「知らなかった」「悪気はなかった」ということによって非常に傷ついてきた自分自身からすると、**「悪気はなかったんだから許してよ」と、そう簡単には言えないな**とも思います。

若い人たちから学んで、自分をアップデートする

だからこそ、**駄言につながりそうなイシューについて常に考え続ける、学び続ける**という姿勢が大事になってきます。社会がこれだけスピーディーに変化しているので、昨日の情報すらもう古かった

りします。だから常に自分をアップデートしていかないといけない。上の世代の人の言うことはもちろん大事ですが、**上の人から学ぶというより、むしろ自分より若い人たちから学んでいかないといけない時代**だと思います。

相手のことなんて分かりっこない。でも、分かろうとするのが大事

今生きている時代の流れのスピード感は世代ごとにかなり違うでしょう。「少なくとも同じ日本語を話しているのだからお互い分かり合えるはず」と思うのは間違いだと思うのです。同じ「おいしい」という言葉ですら、僕が感じる「おいしい」と友達が感じる「おいしい」が必ずしも同じとは限りません。どんな言葉も言う人によって意味が大きく変わる場合もありますよね。所詮、自分以外は全員他人であって、**相手のことなんて分かりっこない**。僕はそう思っているんです。**分からないからこそ「分かりたい」と思う気持ちがすごく大事**。本当に大事なのは完璧に分かり合うことではなく、「分かろう」という気持ちを持つことです。

言ってみれば、人って自分のことすらよく分からないじゃないですか。ましてや相手のことなんて分かるわけがない。

こんなことがありました。うちの父親は**「(トランスジェンダーは)手術じゃなくて漢方とかで治らないの?」**とか言ってしまうぐらいLGBTQを分かっていなかったんです。そんな父親に対して最

初は「何で分かってくれないんだ」と思いました。でも次第に「分かってくれないことが分からない」というのはお互いさまだなと思った。だったら「分からない」ということを分かってみよう、と。そうしたら**「分からないのが父親なんだな」ということが分かるようになってきた**んですよね。

父親があるインタビュー取材を受けていたときに、「お父さん、文野さんが手術するって心配じゃなかったんですか？」と聞かれて、「親として手術は心配ですよ。ただ、どれだけ心配したとしても、**文野以上に文野のことを考えている人はいないと思う**ので（本人の考えを尊重します）」と言ってくれていました。それを聞いて「なるほど」と思いました。

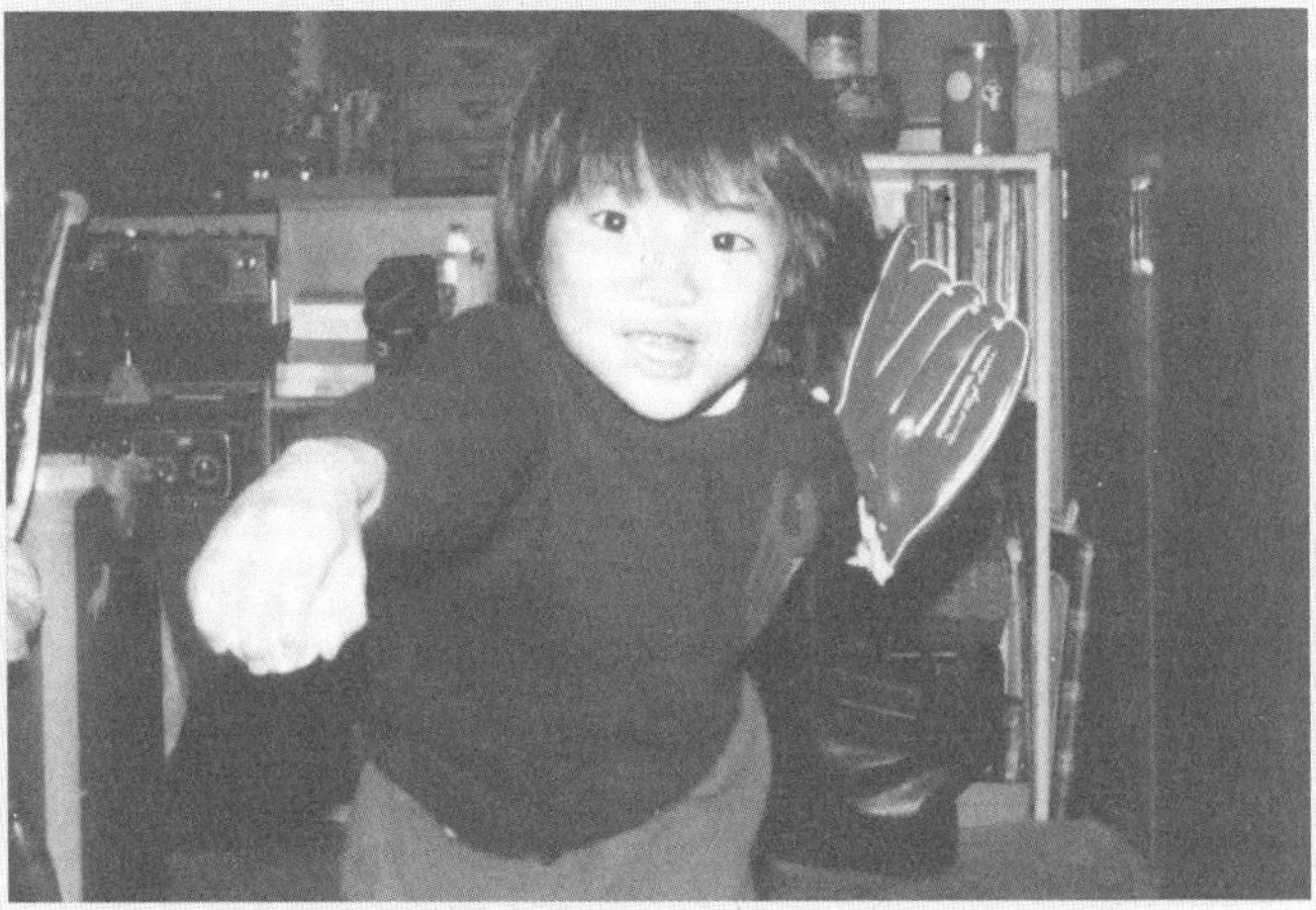

4歳。お気に入りのグローブで遊ぶ

結局、自分の人生は自分が生きるしかない。もらった助言で僕が失敗したとしても、その助言を言ってくれた人が責任取って僕の人生を生きてくれるわけじゃない。であれば**たった一人しかいない自分自身の心の声を大事にしたい**ですよね。

僕は自分自身の心の声を聞くすべを、セクシュアリティという切り口で自分と向き合ったときに身に付けたのだと思います。

自分が出合ったことのない「モノ・コト・ヒト」に出合うことも、自分の心の声を聞く方法の一つです。例えば、旅先で見たインドの物乞いの子どもたちがどうなのか、ということよりも、その子たちを目の前にしたときに自分がどう感じるのか。南極大陸がどういうものなのかということよりも、雄大な自然を目の前にしたときに自分がどう感じるかが大切なんです。

駄言は自分と対話をするための格好のネタ

もしかすると「駄言」も、自分自身の心の声を聞くための、一つのきっかけなのかもしれません。駄言によって傷ついたり悲しんだりしながらも、僕は自分との対話を深めてきた、とも言えます。うれしい、楽しい、ハッピーという感情は割とその場限りのことが多いですが、つらい、苦しいといった**嫌な思いは割と次につながるエネルギーになるし、それによってすごく考えたりもする。**（おまえは）「男だ」「女だ」「男じゃない」「女じゃない」

5歳の七五三はちょうネクタイで(前列、左端)

と言われるたびに、**「僕って何なんだろうな」**っていうふうに考え続けてきた。それが今の僕の考えに至っているので、**嫌な駄言も、せっかくなら嫌なままに終わらせないでポジティブに転換させる方法はあるのではないか**、と。

「駄言を生み出しているのは社会だ」という見方を忘れない

公の場で駄言を言ってしまった政治家や著名人などを、メディアや世論が寄ってたかってたたくというのもどうかなとも思います。例えば、(日本オリンピック委員会・臨時評議員会での)森(喜朗)さんの発言は本当に良くなかった。どんな社会的背景があれ、自分でアップデートしようという意識が回らなかったご本人の責任も大きいです。でも、あそこでは**個人を攻撃するというよりも、その背景や構造的なゆがみをもっとちゃんと指摘したほうがよかった**のだと思います。

あのときに出た「高齢の男性はやめて女性が次の会長になればいいんだ」という解決案にもやや疑問を持ちました。結果的に橋本（聖子）さんがなられたのはよかったと個人的には思っていますが、代表が女性になったらこの問題が解決されるかというと、そんなに単純な話ではない。

「女性差別」と言いますが、当事者は「差別的に扱われている女性」ではなく「女性を差別的に扱っている男性」のほうなんです。ここでも男性、女性という枠でくくってはいけないのですが、男性の責任は男性が取ったほうがよかったのかもしれないなとも思います。あそこで新たに男性が代表になって、「男性がこうした男性側の姿勢を変えていかないといけない」と言って、制度やゆがみを解決していくことに努めたほうがよかったという部分もあったのではないでしょうか。

ＬＧＢＴＱ課題の解決策を探ろうとしたときにも、**「これはＬＧＢＴＱの問題だ（ＬＧＢＴＱの当事者が自分で解決すべきだ）」**と言われることがあります。しかし、これはＬＧＢＴＱの人たちに問題があるのか、多様性を受け入れられない社会に問題があるのか、と考えるべきなのです。持って生まれた違いに問題があるのか、それとも違いを受け入れられない社会に問題があるのか、と。

LGBTQの人が弱くていけないいから自殺率が高い（※1）のか、それともマイノリティが自殺してしまうほどプレッシャーをかけ続けていることに気づいていないマジョリティ（社会）の問題なのかというと、**これはマジョリティの問題**だと僕は思います。仮にLGBTQの当事者が人口の10％（※2）だとした場合、その10％を変えるというよりも、10％を差別的に扱っている、またはこの社会構造の維持に無意識に加担している90％の人たちの意識が変わらなければ10％の生活や社会的立場は変わらないでしょう。そのため、**90％のほうが当事者意識を持って変えていこうとすることが大事**です。

※1：LGBTの自殺念慮率の相対的高さは約6倍（男性の場合。出所：Hidaka Y. et al. 2008. "Attempted suicide and associated risk factors among youth in urban Japan".）

※2：LGBT総合研究所（東京都港区）は2019年に行った調査に基づき、LGBT・性的少数者に該当する人は10％だと発表。

僕もセクシュアリティという切り口で言えばマイノリティですが、他の切り口ではマジョリティの場合もあります。だから、僕ももっと主体的に他のイシューの解決にしっかりと関わっていきたい。でも、あれもこれも全部はできないので、まずは自分の当事者性として関わっているイシューでしっかりと問題を解決させて、そのノウハウを横展開する。そういう成功事例をつくることでほかのイシューも一緒に変えていけるように、まずはここ、という順番でやっています。

自虐的発言も「駄言」になり得るので注意

他人に駄言を言うのはダメですが、**自分を蔑む発言、つまり自虐はいいかというとそれもそうでもありません**。なぜなら自分のことだからと、例えばセクシュアル・マイノリティ性に関して自虐的な発言をした場合、自分以外のセクシュアル・マイノリティの人たちを傷つけてしまうことになるからです。

国から自由や権利を奪われる要因を、笑いのネタにしてはいけない

フジテレビのバラエティー番組内で、保毛尾田保毛男（ほもおだ・ほもお）というキャラクターが炎上しました。なぜホモはダメで、ハゲやデブは笑いにしても許されるのかを考えてみましょう。一つ言えるのは、太っていたり、薄毛だったりすることで好きな人に振られる可能性はあるかもしれませんが、**それによって国から自由や権利を奪われることはない**、ということです。

一方で、LGBTQはそれが原因で国の制度から漏れてしまう。憲法では「すべての国民は皆平等に」と書かれているのに、同性愛者だからといって結婚でき

ない人がいるのです。これだけ構造的な差別が残っており、そのせいでいじめや自殺率が高いという明らかで深刻なデータもあるものを笑いにすることは決して許されるべきではありません（**もちろん太っていることや薄毛を笑っていいという話でもありません**）。

機会の平等を得て、LGBTQの人でも好きな人と結婚できるし、したくなければ別にしなくてもいいし、それによって周りにどうこう言われることもない世の中になれば少しぐらい笑いのネタにしてもいいのではないかと個人的には思います。**でもまだ今は絶対に笑えない現実があります**。

「自分には関係ない」と思ったら要注意

注意したいのは、**「それって僕には関係ないよ」「私の周りにはいないし」という駄言**です。こういうフレーズを言ってしまっている場合、ほぼすべてにおいて、**その発言者はそのイシューに関しては強者**です。「LGBTQなんて関係ないよね」という人は、自分が困っていないから言えているわけです。もしかするとそういう人は困っている人をつくり出す構造に加担する側にいるかもしれない。

「関係ない」と言ったり笑ったりできることは、常にそのイシューにおける強者であり、何かの搾取に加担している側なのかもしれないという意識を持つということが大事なのではないでしょうか。

駄言はなくならない。多様な見方があることのほうが自然

自由民主党 幹事長代行
野田聖子

のだ・せいこ／1960年生まれ。83年、上智大学外国語学部比較文化学科卒業後、帝国ホテルに入社。87年、岐阜県議会議員（当時、最年少）。93年、衆議院議員に。96年、郵政政務次官。98年、郵政大臣。2008年、消費者行政推進担当大臣・宇宙開発担当大臣・内閣府特命担当大臣。12年、自由民主党総務会長。17年、総務大臣・女性活躍担当大臣・内閣府特命担当大臣。18年、衆議院予算委員長などを経て、現職に。

政治家の野田聖子さんに、女性と政治にまつわる3つの駄言を紹介してもらいました。野田さんは、駄言をなくすことはできないが、多様な意見を持つ人が分かり合おうとする姿勢が大事だと言います。

「女性政策」という駄言

私にとっての駄言は3つあります。

1つは**「女性政策」**という言葉。本当は「(すべての)国民の政策」なのに、頭に「女性」という言葉を付けられ、矮小(わいしょう)化される。そして、男性議員がそれを口実に「俺には関係ない」と言って、仲間になってくれないことが多いという実態を何度も見てきました。

例えば**「選択的夫婦別姓」**。これは現在、**女性政策の一つとして分類されています**が、結婚は現在の日本においては大原則として「両性の合意」のもとに行われるものとされています。つまり、女性の問題であるとともに男性の問題である。にもかかわらず、結婚後の氏をどう選ぶかを女性政策にしてしまうのは乱暴です。私も最初は「結婚後に姓を変えるのは9割のケースで女性なので、女性政策とくくられてもやむを得ないかな」という思いがありましたが、やはり女性一人で結婚するわけではないですし、**性別に偏りなく、一人でも多くの方にもっと主体的**

撮影／洞澤佐智子

にこの問題について考えてほしいと思います。

こんなエピソードもあります。私が自民党の総裁選に出馬しようとしたとき、私を支援してくれる議員たちが衆・参の国会議員に「野田を応援してやってくれ」と依頼したところ、相手からの断り文句で一番多かったのが**「いや、野田さんは女性政策しかやらないからね」**だったそうです。それを聞いて「(その人たちは)その程度のレベルなんだ」と思いました。私が打ち出す政策は、もちろん女性にまつわるものだけではありません。ですが、**女性議員の私が推進する政策をすべて「女性政策だ」と思い込んでしまう方たちがいる**ことが非常に残念でした。でもこう言われても私は感情的に怒るのではなく、「そういう相手をどう攻略すべきか」考えるようにしました。データや世界の情勢、世界の法律、好事例などを集めて、理論を整え、私が推進しているさまざまな政策は女性のためだけではなく、国民全体のためになることを訴えたのです。

政治は日本社会の中でも極めて異常な世界なのかもしれませんが、**議員の9割以上は男性**です。**衆議院の自民党・女性議員は約7・6%**です。もはや**マイノリティを通り越して「絶滅危惧種」に近い存在**です。私はずっとそんな場所で生息してきました。

若い頃は「(男性議員の多くは)女性が嫌いだから、私の話を聞いてくれないのかな」と思っていましたが、最近は特に**「女性政策」については政策の真なる重要性を知り得ていないんだな**、と考えるようになりました。政治は安全保障や税制、外交など多方面にわたるため、男性議員は「女性政策は、僕は関わらなくてもいいや」という感じになりがち。でも、当人に悪気はないのだろうなと、今では楽観的に捉えています。

(東京オリンピック・パラリンピック組織委員会・元会長の)森(喜朗)さんの一連の発言に関しては、もちろん「ダメでしょ」と思っています。森さんは2003年にも失言がありました。男性議員が女性議員に対して侮蔑的な発言をしたことに対し、森さんが擁護するような出来事があったので、ある新聞の欄を借りて、敢然と意見を表明したこともあります。

多様性を認める社会では、2~3人ぐ

らいの間におけるプライベートな場での個人的な愚痴であれば、いろいろな考えを表明しても、百歩譲って許されるかもしれません。しかし、世界のグローバルスタンダードにのっとって開催されるオリンピック・パラリンピックの日本のトップという立場で、あのような発言をしてしまったことが、今回の大きな問題だったのではと思います。**公私混同ですね。**

私たちも「多様性を尊重する」と言いますが、多様性を認める社会においては、**自分たちから見れば納得のいかない意見をも受容できなければいけない**と思います。**「自分たちの言い分が正しい」「自分たちとは違う考え方には耳を貸さなくていい」という考え方では、多様な社会をつくることはできません。自分とは違う考えを持つ人たちと共存しながら、どう世の中を変えていくかということを常に考えていかなくてはいけません。**

「子育てと仕事の両立は？」という質問

2つ目の駄言は、**「子育てと仕事の両立はできますか？」**という質問。**役職に就いた女性にのみ聞かれる質問**です。2020年1月に第1子が誕生した小泉進次郎さんに「子育てと政治の仕事の両立について記者会見で質問されたことはありますか？」と聞いたら、「ないです」と言っていました。進次郎さんが男性だからでしょう。一方、女性の私は50歳で子どもを産んでからというもの、この質問は必ず聞かれます。**子育ては女性がするもので、仕事というオプションがつい**

たら、その両立が果たしてできるのかと、周りは思ってしまうのでしょう。

わが家の場合は夫婦2人で子育てをしています。私がこう言うのを聞いたら夫は「俺のほうがやっている」ってきっと怒ると思いますが（苦笑）。第三者の支援も頂きながら、それぞれできるときにできることをやっています。

私が第1回の当選を果たした頃は**「ママやパパとしての顔を仕事の場では出すな」**と言われ、**とにかく仕事を第一に優先すべきだ**という考え方が主流でした。選挙でも仕事を第一優先と考える男性のほうが当選しやすい現実がありました。でも**最近の若い男性議員の中には、パパの顔を無理に隠そうとしない人が増えている**と感じます。私が会長を務めている

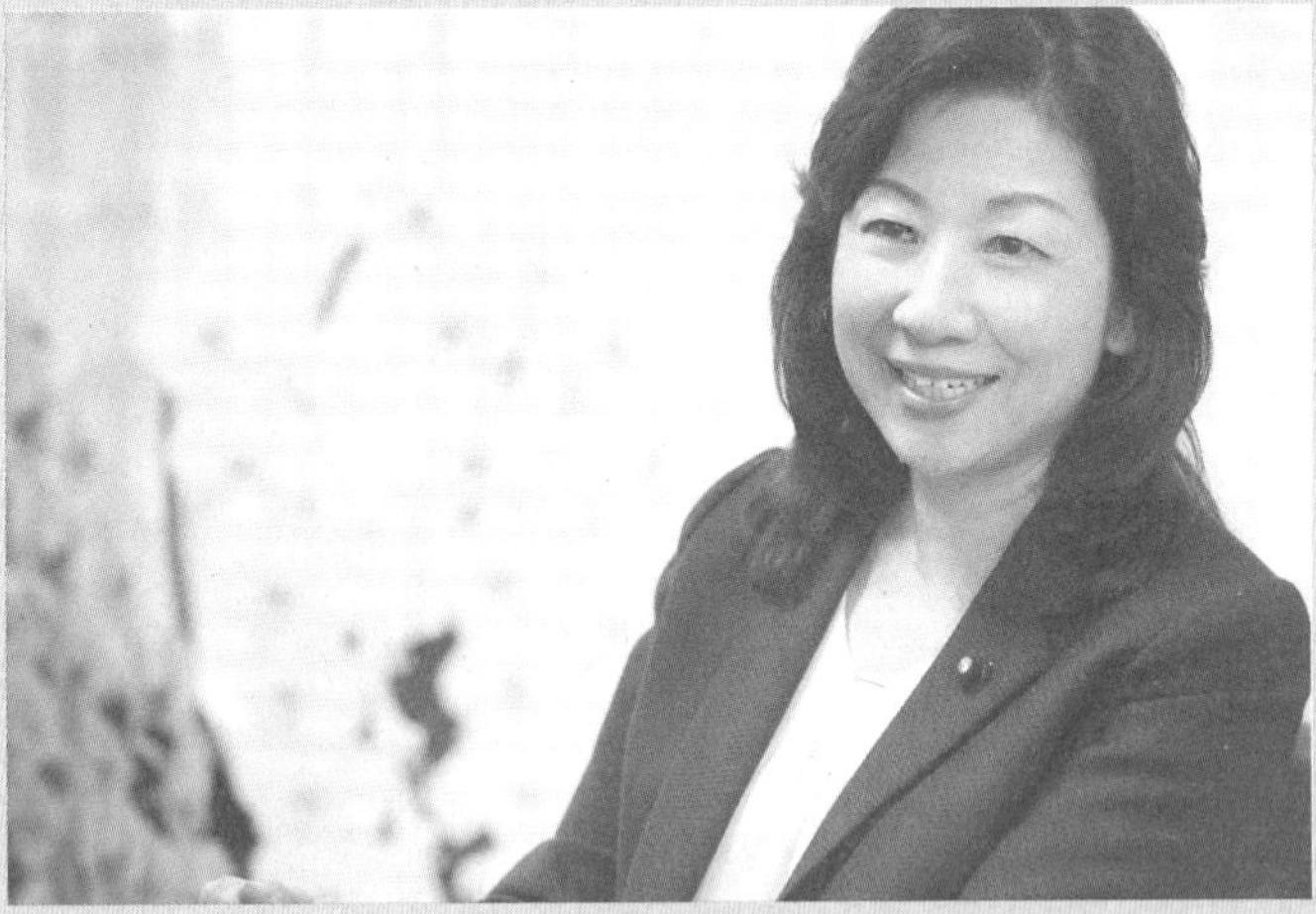

「ママパパ議連」（2018年設立の「超党派ママパパ議員連盟」）という団体があります。これをつくったときに「これは自民党の議員は参加しないだろうな」と思ったのですが、自民党の男性議員がたくさんメンバーになってくれたのはうれしい驚きでした。

私が若い頃は、橋本聖子さんが私たち世代の国会議員としてさきがけとなって子どもを出産されたタイミングです。当時、すべてのマスメディアにバッシングされ、橋本さんはいたたまれず産後1週間で国会に戻らざるを得なかったという事実がありました。当時、国会議員が病気で休むことは衆・参の規則で認められていましたが、出産による欠席は認められていなかったんです。こうした環境改善は一気には進みませんし、いまだにバッシングはありますが、女性議員が産後1週間で国会に復帰するということは避けられるようにはなってきました。

世界に目を向けると国家の主席が育児休業を取るという事例もあります。日本にとって今、目の前にある危機は、少子化による人口減少です。ですから、本来であれば、そんな**日本が率先して、主席（総理大臣）や国会議員が育児休業を取るぐらいでなければならない**のです。**日本では少子化が「女性政策」とされて「狭い檻」の中に入れられてしまった歴史があるが故に、先進的な国々よりもはるかに墜落に向かっています。**

「女性活躍」も駄言

駄言の3つ目は**「女性活躍」**という言葉です。前・安倍（晋三）政権で総務大臣を拝命した折にわがままを言って、女性活躍担当大臣もやらせてもらいました。実は私には「女性活躍という言葉を変えたい」というひそかなもくろみがありました。今の日本社会ではまだ女性が活躍する手前の問題が山積しているので、**「女性活躍」ではなく、「フェアネス」という言葉を使ったほうがいい**と思ったんです。**「フェアネス」という言葉には、性別に関係なく国民一人ひとりが自分らしい人生をちゃんと生ききれる生き方を可能にしたい**という思いを込めました。

給料にしても、ポジションにしても、**「自分の身の丈に合った評価が欲しい」というのが本音**であって、「活躍」という言葉とはちょっとニュアンスが違うんだよな、と感じていました。

以前、医大入試で女子受験生が減点されていた問題もあったでしょう。あれと同じようなことが日本ではどこでも行われているわけです。だから「活躍」の手前で、まずは**女性にも男性が履いているのと同じゲタを履かせてくれよ**、と。でも、残念ながら、法律が既にできているということを盾に「女性活躍」という言葉を変えることはできませんでした。どうですか？ **皆さんは「女性活躍」という言葉に違和感はありませんか？**

ここまで述べてきた3つの駄言については、自分としての反省もあります。私は日本の政治の世界では「絶滅危惧種」

的な存在である「女性議員」なので、「君のやっていることはすべて女性政策だ」と勘違いされても、ある意味、仕方がないと思っていたんです。でも今は、女性が当事者である政策も含めて**大事な「国策」**だと認識するようになりました。私は少し前からそのように考え方を切り替えましたが、まだ、多くの議員が「女性に関する政策＝女性政策」と認識にするにとどまっています。

私も若い頃はすごく背伸びをしていました。30歳ぐらいの頃は**「おまえはスカートを履いているから目立っているだけだ」**と言われたこともあります。女性であるという理由で過小評価されていることは分かっていたので、**「私はマッチョなんだ」**とずいぶん背伸びをしてしんどかったです。今思えば、そんな私自身も面倒臭かったですね。

でも、50歳、60歳と年を重ねるうちに徐々に「悟り」を開き、**「これ（男性のまねをするの）は（私にとって）不自然なやり方だな」**と思うようになりました。若い頃は、周りの男性の政治家たちと同じぐらいの時間、もしくは彼らより長い時間、職場にいて頑張っていなければいけないと思っていました。でも、後進の女性たちが、過去に私がやってきたように、**常にいっぱいいっぱいで仕事と子育てをやり切ろうとするのは間違っている**な、と思うようになったんです。

その結果、何が具体的に変わったかというと、**職場にいる時間が短くなりました。私にとって、息子と過ごす時間と仕事は両輪**です。息子と一緒にいればいるほど、仕事の意義が見えてくる。過去の日々を思って、今は大反省をしています。もし子どもがいなかったらあのままだったかもしれないと考えると、私にとって息子はもう息子様々なんですよ。

今ではテレワークも可能になりましたしね。考えてみたら電話で仕事の話をするのだってテレワークです。生活面では子育てだけではなく、家の洗濯や掃除、食事作りなどの家事もやらなくてはいけません。それらをこなしつつ、毎日、事務所に行って仕事をするとなると、やはり「目いっぱい感」が漂ってしまいます。

駄言が生まれる背景

駄言と呼ばれる時代錯誤的な発言がいつまでもなくならない背景には、令和の時代にある、さまざまな法律の土台が、明治につくられたものばかりであるという実態があります。日本は法治国家ですから、女であれ、男であれ、LGBTQであれ、障がい者であれ、**法律の土台が変わらない限り、明治時代の「日本」を引きずらざるを得ない**わけです。

大河ドラマなどを見ていると分かりますが、江戸末期から明治にかけて、女性のトップってほとんどいませんよね。将軍にも女性はいない。明治維新の議会の中にも女性はいない。**そうした場でつくられたものがキャンセルされずに上書きされているのが、今の日本のジレンマ**なのだと思います。

だからこそ、私たちはどこかでパラダ

イムシフトを起こさなければいけません。私たちは無意識に「女性のいない歴史」の中で生きていると言えるのです。

「自分とは違う人」とどう折り合いを付けていくか

パラダイムシフトを起こすために、私たち**「フェミニスト」**は**「ヒューマニスト」でなければならないと思います。**フェミニストは反フェミニストと対抗し、闘うのではなく、人類全体の幸福のために行動していくべきなんです。

何を「正義」とするかは人それぞれです。「自分とは違う考えを持つ人」とどう折り合いを付けていくかということが、今後ますます大事になっていくでしょう。

私もまだ悩み中なのですが、自分の中で**「これが正義だ」と100%の確信がある考えがあっても、（対抗勢力に対しては）「寸止め」にすべき**なんでしょう。**自分たちと同じ気持ちになりきれない人もいるのだという現実を、いつも腹に入れておくことが大事**です。私たちにプライドがあるように、「アンチ私たち」にもプライドがある。良い悪いは別として、相手の言い分を認めることも多様性の実現のためには必要だと思うんです。

SEKAI NO OWARIの「Dragon Night」（※）という歌に、**「人はそれぞれ『正義』があって」**という歌詞があります。あのメッセージが私にとっての「座右の銘」です。

※作詞 Fukase

「じゃあ、あなたもスカート履けば？」

先に挙げた3つの駄言は、私にとってはもう怒る対象ではなく、「面倒臭い」レベルです。でも、30代後半はこうしたことを言われて腹を立てることもありました。特に37歳で郵政大臣になったときのことです。男性の先輩議員から**「これで郵政省も軽くなったな」「スカート履いてりゃ、大臣になれるんだな」**と言われたときには、さすがに腹が立ちましたね。思わず表情が引きつった（苦笑）。当時はまだ当選2回目で、政治家として、ひよっこでしたから。自分で望んでいたわけでもなく、ロールモデルもいない中、男性の中ですくんでいたら突然つり上げられて郵政大臣を任命されて。世の中すべてがめちゃめちゃ怖かったですよね。今もし「スカート云々」と言われたら**「じゃあ（あなたもスカートを）履けば？」**って言い返せます（笑）。これはやっぱり継続のなせる業なんですね。

今の若い女性たちの盾であり、味方でありたい

私も今の20代、30代、40代の女性が言われて嫌だと思っていることには同調します。自分もそう言われて腹を立ててきましたから。だから**60歳になった私の今の存在意義であり役割は、若手の女性たちの「盾」になること**です。私自身は駄言を言われたときに1人で立ち向かって無駄な時間を使ってしまったし、ずいぶん回り道をして疲れた経験があるので、今の若い女性たちにはそういうことをさせたくない、と。

今後も駄言はなくならない

今後も、駄言はなくならないでしょう。でも、**全員の意見が一律のほうが気持ち悪いと私は感じてしまう。駄言だと多くの人が感じる発言があったら、そのたびにその発言の問題性をみんなで確認して、手直しすればプラスになるよね、ということを見つけていくことが大事**なのではないでしょうか。多様な人が生きる社会の中で、お互いの共通の「利益」をつくる、つまり、Win-Winの関係をつくっていくことが私は好きですね。

私が初めて国会議員になった、今から四半世紀前は、女性議員というだけで「宇

宙人扱い」されて、完全に客寄せパンダ状態でした。でも、今、若い女性議員たちは所属した委員会で、自分の専門分野を生かした素晴らしい質問をされるなど、立派に仕事をこなしています。そういう目で見れば**女性議員の環境も少しずつ前進しています。**根本的なところの課題はまだ山積みですから、これから解決していかなければいけないなと思っています。

総裁を目指すのは「トップは女性にはできない」という思い込みをなくすため

私は「なんでそんなに（自民党）総裁を目指すんだ？」と聞かれることが多いのですが、**私が総裁を目指すのは「トップは女性にはできない」という思い込み**

をなくしたいから。女性には無理だという思い込みは、1回でも女性がトップに立てばなくなるんですよ。例えば国会の議長も昔は男性がやるものでしたが、今はもう女性が担うことも普通になりました。総裁に関しても、そういう状態をつくっていければいいなと思っているんです。**女性は政治の「頂（いただき）」に行かなければいけない**と思いますし、それにより政治の世界に女性がいることが「当たり前化」されて、**どこを見ても女性がいて、それを誰も何とも思わないという状態にするのがゴール**なのかな、と。

だから私が自分の領域においてできることは、ひたすら「総裁」という「頂」を目指すこと。「政治と大相撲は男の仕事」と思い込んでいるような人たちに「それは違うんだ」ということを可視化させたいと思っています。

駄言のない世界に、僕らは間違いなく向かっている

サイボウズ社長

青野慶久

あおの・よしひさ／1971年生まれ。愛媛県今治市出身。大阪大学工学部情報システム工学科卒業後、松下電工（現パナソニック）を経て、97年8月愛媛県松山市でサイボウズを設立。2005年4月代表取締役社長に就任（現任）。著書に『チームのことだけ、考えた。』（ダイヤモンド社）、『会社というモンスターが、僕たちを不幸にしているのかもしれない。』（PHP研究所）など。

サイボウズ社長の青野慶久さんが考える、仕事内容に関する古いステレオタイプについて聞きました。駄言から透けて見える、一部の日本企業における課題や日本社会の先行き、私たちの働き方・暮らし方に対する姿勢にまで、話題は広がりました。

「プログラミングは
下請けがやる仕事でしょ?」

ジェンダーに関する駄言については他の方々が取り上げるでしょうから、僕はプログラミングの仕事に関する駄言について話したいと思います。

「プログラミングなんて自分でしてちゃダメだよ」

これは今の日本の一部の職場ではまだ言われている駄言だと思います。

要は **「プログラミングって下請けがすることでしょ」** という考え方が根底にあるんです。僕が松下（松下電工、現パナソニック）に入社した約25年前にもそう言う人が社内にいて、「おお、マジか」と。僕は情報システム工学科を卒業しているし、プログラミングはずっと好きだったので、**「プログラマーの扱いが低いな」** と感じたことを覚えています。

日本のシステム開発の現場では、「上流SE」という名の下に、エクセルで工程

管理するのが仕事……みたいになっていて、プログラマーのモチベーションが上がらないことが往々にしてあります。**プログラミングを下流工程の「下請けの仕事」と決めつけて、自らは手を動かそうとしない人や組織がある**んです。

ソフトウエアが生み出す付加価値を理解していない

そういう人たちは**「ソフトウエアが生み出す付加価値」を理解していない**んでしょう。今、実際、世界の時価総額ランキングを見たときに上位を占めるのは、米アップル、マイクロソフト、アマゾン、アルファベット（グーグルの親会社）、フェイスブックといったＩＴ企業です。

写真提供／サイボウズ

そうした企業では、**社内に優秀なプログラマーを抱え込んで自分たちでプログラミングをやっています。**プログラミングを下請けに流した会社と、自分たちでやろうとした会社でこんなに大きく差がついたということです。**「世界を変えていくのはソフトウエアなんだから、ソフトウエアは自分たちで作らないと」**という発想が大事なんです。

日本の場合、元来ハードウエアを作っていた会社が多く、ソフトウエアはあくまでおまけという発想だったので、こういう駄言が生まれてしまう。ソフトウエアが中心となる未来をイメージできなかったんです。米国や中国のように、ITがどんどん進んでいるところではあり得ない発言です。

サイボウズでは、できるだけプログラミングを下請けに出さず、ソフトウエアを自分たちで作り続けてきました。でも、一部の国内大手電機メーカーは、いまだに頭を切り替えられておらず、プログラマーの価値が認められていないと思います。

今やソフトウエアは経営戦略に欠かせないキーファクター

今や家電に限ったことではありません。自動車や建築、外食やメディアにせよ、**ソフトウエアはどんな企業にとっても事業に欠かせないキーファクター**です。どこの業界も優秀なプログラマーを取り合っている。しかし、自社でプログラマーを採用していたとしても、彼らの社内での価値は十分に認めておらず、「社内下請け」的な扱いをしている企業には優秀な人は入ってこないし、入っても辞められてしまうんです。それなのに**経営陣はそこに対する危機意識をいまいち持っていない。**

気づく企業は、かなり前から気づいています。トヨタ自動車もこれまでよりさらにＩＴエンジニアの採用に力を入れています。自動車だってもはや「走るパソコン」になっていますからね。時価総額がトヨタを超えた米テスラは、創業期からずっとソフトウエアに力を入れていました。インターネットに常時接続されていて、さまざまな機能がネットを経由して更新されるわけです。

プログラミング教育は必須

こんなふうに**「プログラミングは下請けの仕事」という一部の人が持っている古い価値観は、社会全体としてアップデートしていかないといけません。**

そう考えると、**子どもたちの教育における プログラミングの扱いにも、当然、目を配る必要があります。**

プログラミング教育が大事だと日本政府が言い始めたのは、ここ数年のことです。文部科学省がＧＩＧＡスクールという構想を掲げてようやくパソコンやタブレットを１人１台配るようになりましたが、あまりにも遅すぎます。プログラミング教室は一時的なはやりだという声もありますが、この数十年に起きていることを見れば短期的な流行でないことは明らかです。私たちはコンピューターを中心とする社会に向かっていて、それを動かしているのはソフトウエア。どれだけいいソフトウエアを作れるかで、出せる付加価値は大きく変わる。そんな「現代」を僕らはもう生きているんですよね。

でも、子どもの教育を変えられていないのは、変える当事者である、大人が変われていないからです。プログラミングにとどまらず、さまざまな事柄において古い固定観念でがんじがらめになっています。例えば、ジェンダーや年齢、国籍、学歴などに関する古い価値観が日本社会にはここかしこにはびこっています。このまま大人が変化することを避けていれば、競争力のある国々からは置いてけぼりをくらって、日本の国力は下がるばかりでしょう。

日本は20～30年間でズブズブと沈没する

まあ言っても日本は安全だし、それなりに社会保障があって、政治的にも暴動が起きるわけでもなく、それなりに「いい国」なので、みんな危機感はそれほどないですよね。でもね、**これから20～30年の間、古い価値観から抜け出すことができなければ、日本という国はさらにズブズブと沈没していく**と思います。

「駄言」は古い価値観に縛られた社会の中の言葉

議論を元に戻しますと、**駄言というのは、古い価値観、固定観念に縛られている変われない社会の中で言われている言葉**なんです。

ちょっと前に、スーパーのお総菜コーナーでポテトサラダを買っていた母親が年配の男性から「母親ならポテトサラダぐらい作ったらどうだ」と言われたという話がありましたが、大きなお世話ですよね。**一体、何が問題なんだ、**という感じです。**今は家から好きなときに好きなポテトサラダを好きなだけネットで注文できる時代**です。**古い考え方に固執する人を変えるのは大変ですので、そこにエネルギーを割かないほうがいい。勝手に沈没しろ、という感じ**です。

駄言がない世の中に、僕らは向かっている

駄言が言われなくなる世の中に、僕らは間違いなく向かっています。つまり、古い価値観を取り払った世の中に向かっているのです。それは例えばITの職場で言うと、プログラマーがその価値を認めてもらえる職場が増えていく、ということです。であれば、**嫌なことを言われる職場からさっさと抜け出して、幸せに過ごせる職場に移ってしまえばいい。そういう駄言が言われる船から自分が抜け出すことで、その船が沈没するスピードは速くなります。**

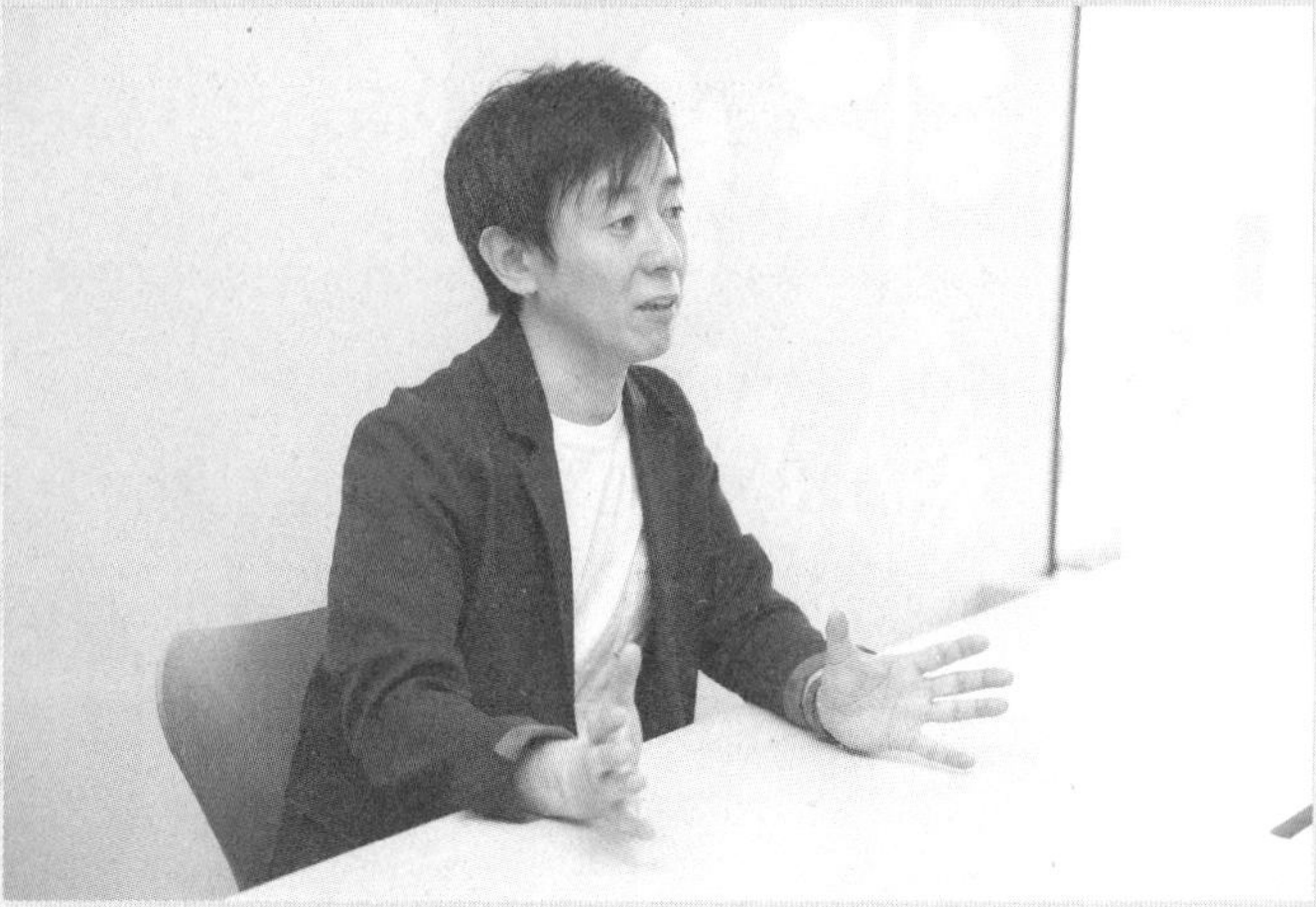

例えば官僚の長時間労働が問題視されています。組織的に改善できないのであれば、官僚が官僚を辞めればいいんですよ。一番大きな変化を起こそうと思ったら、みんなで辞めてしまうのがいい。そうしたら、政治家も「困ったな」となるじゃないですか。そうすると良い変化が加速するわけです。**歯を食いしばって頑張っちゃう人がそこにいると、問題のある「現状」が改善されない。**

もう頑張るな。駄言がまかり通る会社など辞めてしまえ

会社も同じです。男性役員ばかりで、女性役員がなかなか増えないし働きにくいという会社があるのなら、勇気を持っ

て辞めてしまえばいいんです。そうすれば変化スピードが速まります。社内で駄言が平気で飛び交うような企業がなくならないのは、そこで働き続ける人がいるからです。みんなが「こんな会社、辞めたるわ」って辞めてしまえば、その会社は消滅します。この構造に気づいたほうがいいと思います。**変化を加速させるために、自分が嫌だと思う環境を抜け出してしまえ。そういうことです。**

日本人には特に、我慢を美徳とする風潮があります。「こういう状況だからこそ、自分が残って何とかしないと」って思ってしまいがちなんですが、**「それ、マイナスにはたらいてませんか？」**って。その辺りを冷静に見たほうがいいと思います。**「頑張るな、ニッポン」**です。

実際、大企業を辞める人が少しずつですが加速度的に増えてきましたよね。サイボウズにもここ何年かで、官僚を辞めて入社してきた人が何人かいます。**「ここで歯を食いしばって頑張るより、新しい環境に移ったほうが自分も楽しいし、社会変化を加速させることになるかも」**。そんなことに気付き始めた20～30代の人たちが出てきているのではないでしょうか。

03

「駄言」にどう立ち向かえばいいのか

第1章では皆さんから寄せられた約1200の駄言から選んだものを、投稿時に書かれていたエピソードと併せて紹介するとともに、駄言の背景にある社会状況などについて説明を加えました。第2章では、駄言について、6人のキーパーソンに意見を聞きました。第3章では、それらの内容を俯瞰（ふかん）して考察を加えていきたいと思います。

まず「なぜ駄言が生まれるのか」という問いについて、これまでの内容を踏まえて答えるとすれば、主に5つの要因を挙げることができそうです。

【なぜ駄言が生まれるか】

●歴史的背景
●社会構造
●勉強、想像力、共感の不足
●ミスコミュニケーション
●公私混同

「駄言」には、私たち一人ひとりが持つ「当たり前」や「固定観念」の間にあるギャップによって生まれるという一面があります。その「当たり前」や「固定観念」は、日本という国が歩んできた歴史とも深い関係があるのです（ここでは国というくくり方をしていますが、地域や学校など、さまざまなくくりの中にももちろんそれぞれの歴史があります）。

そして、私たちを取り巻いている「社会構造」は、短期間でつくられたものではなく、長い歴史の中でゆっくりと時間をかけて形成されてきたものです。今を生きる私たちがリアルに抱く感覚と、社会が押し付けてくる価値観の間にはズレも生じます。そして特に、古い価値観を持って生きている人と、新しいリアリティを鋭敏に感じて生きる人の間では「駄言」が生まれやすいのです。

こうした歴史的背景や社会構造を理解するためには、さまざまな資料に当たり、勉強する必要があります。また、新しいリアリティを感じて生きている人（社会的マイノリティである場合が多い）の感覚を知るためには、本やメディアに触れたり、人と交流したりして、最新情報をインプットしなければなりません。

駄言の根源となり得るテーマに関する知識が不足している場合でも、自分が何らかの発言をする際に、言われた相手がどのような気持ちになるかを「想像」することはできます。「こう言われたら、相手はどう思うだろう」「もしかすると、こんなふうに感じるかもしれない」と想像力を働かせてコミュニケーションすることが大切です。

特に、社会的マイノリティの人たちと対話するとき、もしくは、社会的マイノリティの人たちについて何らかの情報発信をするときは、社会的マイノリティの人たちが抱える課題を学び、共感することが必要です。「自分とは関係ない」と考えるのではなく、「いつか自分にも関係してくる問題かもしれない」「今、自分には関係なくても、気持ちを理解するように努力しよう」と考えるようにするのです。

第2章に登場する及川美紀さんは、駄言の原因はミスコミュニケーションである場合が多いと指摘していました。当事者に直接話をせずに「きっとこうだろう」と思い込み、勝手な発言をしてしまうことがある。及川さんはそう言っています。

野田聖子さんはインタビュー中で「百歩譲って許されるかもしれない」という行為として、親しい少人数の中で自分のやや偏った意見表明をすることについて言及しています。社会の多様性は重要なので、意見の多様性を否定してはいけない。しかし、公的な場で、そうした偏った発言をするのは厳禁だと明言しています。

さて次に、「駄言を言わないために」どうしたらいいかを考えてみましょう。

【駄言を言わないために】

●歴史や社会背景を学ぶ
●価値観の変化に関する情報をインプットする
●積極的に人とコミュニケーションする
●駄言から学ぶ

出口治明さんは「駄言を生むのは不勉強」と述べています。やはり、駄言を言わないようにするためには、勉強が必要なのです。自分が気になるテーマについて、本やSNSなど、何でもいいので材料を見つけ、自分なりに学びを深めていきましょう。

　また、今回インタビューした6人のうちの多くが、「駄言は社会が成長するにつれて変化するものだ」と言っています。「この駄言を言う人はほとんどいなくなったからもう安心」とはならないのです。極端なことを言えば、1年前はそれほど問題視されなかった発言が、今年になって「駄言」と判断されるようになる可能性もあります。だからこそ、時代の変化に敏感になる必要があります。

　及川さんは、周りの人と意識してコミュニケーションをすることの必要性を挙げます。「常に対話をして、相手が今どういう状況でどんな気持ちなのかを本音で教えてもらえる関係性を築くことが大事。自分から直接は聞けないテーマだと思ったら、誰か他の人を通して聞けるように、日ごろからコミュニケーションを複線化しておくことを心掛けるといいと思います」と、及川さんは言っています。

　駄言を言わないための方法として「駄言から学ぶ」というものがあります。このやり方について、次の「駄言を言われたらどう対処すればいいか」の項目で詳しく説明します。

【駄言を言われたら】

●なぜ駄言と感じたかを考える
●その駄言が生まれた背景を考える
●同じような駄言を、
　自分が誰かに言っていないかを考える
●(場合によっては)
　相手に自分の思いを伝える
●(場合によっては)
　相手と距離を取る
●(場合によっては)
　駄言を言われるような環境から抜け出す

駄言を言われたら傷つくものです。しかし、傷つくだけで終わらせたり、言った相手を恨んだりするのではなく、そこから学ぶことが大事だと杉山文野さんは言います。自分がその発言をなぜ駄言だと感じたかを考え、その人にそうした駄言を言わせてしまった背景を考えてみるのです。さらには、自分が同じような駄言を、誰かに言っていないか、胸に手を当てて考えることも大事です。「今まで人に言われたことがないことを誰かに言われて、それで自分が傷ついたとすれば、それは新しい『自分』と出会った瞬間だとも言える。それをきっかけに、自分ととことん向き合ってみてください」。杉山さんはそう言っています。

スプツニ子!さんは、自分が駄言を言われたときには、可能であれば、自分が傷ついた気持ちや「それは駄言ですから、言わないほうがいいですよ」という助言を相手に伝えるようにしているそうです。伝え方が難しい場合もあるかもしれませんが、相手にとっては貴重な指摘となるでしょう。

また、駄言によって、簡単には立ち直れないほど傷ついたり、何度もしつこく駄言を言われてしまったりすることもあるかもしれません。「そんなときは相手と距離を取ることが大事」とスプツニ子!さんは言います。青野慶久さんは「駄言を言われるような環境から抜け出して、自分の望む価値観が当たり前に受け入れられるような環境を探し、「飛び移れ」と提案しています。

では、万が一、自分が誰かに対して「駄言を言ってしまったら」どうすればいいのでしょう。

【もし駄言を言ってしまったら】

●潔く、誠心誠意、謝る

●同じ過ちを繰り返さない

杉山さんは「やはり自分のやってしまったことを認め、謝ることが何より大事」と言います。そして、同じ過ちを繰り返さないように、記憶にとどめるのです。

さて、ここで改めて明記したいのは、今、日本社会はこれまでにないスピードで変化を遂げているということです。変化のスピードが上がっている要因の一つは、スマートフォンとSNSの浸透。さらに、2020年以降は新型コロナウイルスの感染拡大に伴い、これまでなかなか進まなかったリモートワークが一気に進むなど、従来の固定観念が大きく変わる瞬間を、皆が同時に経験したことも挙げられるでしょう。また、米国のバイデン政権において、多数の女性が一度に登用されたという出来事も、日本社会に大きな影響を与えています。

第1章、第2章で見えてきたことの中で注目したいのは、今、日本社会で少しずつ、しかし、確実に「多様性」が尊重されるようになっていることです。今回は主にジェンダーをテーマに取り上げましたが、国籍、年齢、出身地、職業など、さまざまなテーマにおいて、画一的な価値観を他人に押しつけることがNGとされる世の中に向かっていることは確かです。

第1章でも触れましたが、古い価値観の代表として「男は仕事、女は家庭」という考え方があります。この古い価値観を他人に押しつけるのはNGですが、そればかりではありません。夫婦共働きが増加しているからといって、「夫婦は共働きすべきだ」と言ったり、夫婦で家事・育児を分担する夫婦が増えているからといって「夫婦は育児と仕事を平等に分担すべきだ」という価値観を他人に押しつけたりすることもいけないのです。

あくまで大事なのは「個の尊重」です。同性婚もよし、子どもを持っても持たなくてもよし、共働きでも、そうでなくてもよし……。そうした個人の価値観を尊重することが一番大事だと考える人が増えています。

さて、最先端の企業では、社内でも、誰か一人の考えを周りに押しつけることは避けるべきで、社員一人ひとりが自分らしさを発揮することが会社の利益につながるという考え方が根付き始めています。

事例として紹介したいのはグーグルです。科学的データに基づいて人事戦略を考える企業として知られているグーグルが重視するのは、社員の「心理的安全性」です。周囲に否定されることを恐れず、誰もが自分の意見を表明できる環境をつくること。どんな意見でも切り捨てずに傾聴すること。全員の持てる可能性を余すことなく生かし切ること。それらを実現するための研修が管理職には義務付けられています。このような動きが、他の日本企業にも取り入れられ始めています。

こうした変化の中で、私たちはこれまでよりさらに深く、切実に「自分らしさ」と向き合う必要が生まれています。家族や学校の先生、会社、上司、同僚、取引先、はたまた世間の目やメディアから押しつけられる「〜であるべき」という価値観に縛られなくてよくなってきた半面、私たちは自らの手で自らの道を選び取っていかなくてはなりません。
一例として「結婚」をテーマに考えてみましょう。今、日本では結婚する人が減っていることは周知の事実です。生涯未婚率（※）は2000年頃を境に上昇し、1970年には男性1・7％、女性3・3％だったものが、2010年には男性の20・1％、女性の10・6％になっています。2035年には男性28・9％、女性が18・5％にまで上昇すると予測されています。婚活コンサルタントの澤口珠子さんはこう分析しています。

今は、結婚にも個人主義の考え方が徐々に持ち込まれ、「親や周りにとやかく言われるから」ではなく、「自分で自分の好きな人を選ぶ」というスタンスが色濃くなってきています。加えて、「結婚は無理にしなくてもいいもの」という社会的風潮も強まり、「ぼーっとしていると結婚できない、もしくは、結婚しない人が、男女ともに増えているのでしょう」。

（『まじめに本気で！ 婚活アプリバイブル』日経BPより）

※50歳時点で一度も結婚をしたことのない人の割合。2010年の数値は「人口統計資料集（2015年版）」より。将来予測は「日本の世帯数の将来推計」より、45〜49歳の未婚率と50〜54歳の未婚率の平均である。

今回集まった駄言の中にはまだあまりありませんでしたが、これからは「事実婚」「夫婦別姓」「同性婚」など、新しい形で結ばれるカップルも増えることに伴って、それらに関する駄言も増えてくるでしょう。
「結婚」というテーマ一つ取っても、こうした実態が見えてきます。私たちはこれから自分の考えに基づいて、自分にとって適した答えを探っていく姿勢が必要になります。「働き方・キャリア」

「暮らし方」「子ども」「性別」など、さまざまなテーマごとに、新たな選択をしていかなければならず、それがひいては、新たな社会規範の礎を築くことになっていくのです。

第2章で話を聞いた6人に「駄言はなくなると思うか?」という質問をしたところ、「なくなる(方向に向かっている)」と答えたのは青野さんと出口さんの2人。残り4人が「なくならない」と答えました。皆さんはどうお考えでしょう?

日本社会では、今、さまざまなテーマにおける価値観が揺らいでいます。しかも、その変化スピードは加速度的に速まっているのです。多くの人が「何が正解で、何が不正解か」を探りながら生きている。だからこそ、大勢が「この発言は許されない」と警告音を鳴らすような発言(駄言)は、社会的にも大きな注目を集めます。

これからも、もし誰かが駄言を言ってしまったときは、「また、あんな発言をして。○○さんったら、仕方ないなぁ」と、発言者個人の問題として批判するだけにとどめていてはいけません。その駄言をなぜ駄言だと感じたのかを皆で考え、「ここが問題だったのではないか」と論点を整理し、「だから、これからはここを直していこう」「こんなふうに気を付けていこう」と一旦の結論を出して前に進んでいくことが必要になります。社会として一歩前進するために、駄言を教材に考察し、対話し、対策を練ることを私たちは怠ってはいけないのです。

あとがき

2020年末頃、『#駄言辞典』の企画が立ち上がったきっかけは、プランナー・尾上永晃さんによる気付きでした。本書発行に際し、尾上さんがメッセージを寄せてくれました。

＊　＊　＊　＊　＊　＊

仕事の打ち合わせ中、スタッフの女性がされたという発言を聞いて耳を疑いました。最近とは信じがたいステレオタイプからくる発言。思えば、妻からもそのような話を聞いたことがありました。それくらい横行している。なんなら、言った側は良かれと思ってすらいるのが課題なのではないか。僕も言ってしまったことがあるかもしれない。どうやって、その発言は人を傷つけているのだと相手に気づいてもらえるか。そこで思い出したのが、立川談志のネタ集です。古今東西のネタや名言に談志がコメントをするのですが、例えばテニソンの名言「女は、女にひどくきびしい。」に対して、「男も男にきびしい。」と返したりしてハッとさせてくれる本です。名言は否定できないものだと僕らは思い込んでいるけど、時代と共に実は真逆の駄言になっていたりもする。否定のきっかけがあれば変わります。黙認されてきたステレオタイプ発言を駄言と名付けて記録すれば、無意識に人を傷つけることが減るのではないかと考えました。そして、駄言を集めた本が絶版になったとき、ステレオタイプ発言は無くなったと言えるのではないか。こうして、絶版を目指して本を作るプロジェクトが始まりました。

＊　＊　＊　＊　＊　＊

企画を本格的に始動させ、駄言の分析や識者へのインタビューを進めながら、駄言が生まれる理由や背景を考察するに当たり、資料を探しては読むことを繰り返しました。その過程で得た気付きや考えたことを、すべてこの一冊にまとめました。

16ページでも触れた『女性差別はどう作られてきたか』（集英社新書）で、1921年（大正10年）に与謝野晶子氏が書いた「『女らしさ』とは何か」という文章の存在を知りました。読んでみると、本書発行の100年前に書かれたものにもかかわらず、中身が色あせていないことに気付きました。当時の女性たちの環境や感じていたことに、十分共感できたのです。うれしくない驚きでした。

ただ、大正時代との違いはあります。それは、今や日本の女性が置かれている立場が、世界から注目され、変革を促すプレッシャーが国外からかかっていること。スマートフォンやSNSの浸透で、この流れに立ち向かおうとする人たちが手を取り合えるようになっていること。性別問わず、「変えよう」「変えたい」「変えなければ」と思う人たちが増えていること――。今この時代に、現実を変えられるかどうかは、私たちの手にかかっているのでしょう。

2020年末の時点では、この本が日本の歴史や法律にまで触れる内容になるとは予想していませんでした。数々の駄言を通して編集部に伝わってきた燃えるようなエネルギーが、この本を生み出してくださったと思います。駄言をお寄せくださった皆さん、本当にありがとうございました。

早く絶版になってほしい
#駄言辞典

2021年6月14日　第1版第1刷発行
2024年2月7日　第1版第5刷発行

編　集　日経xwoman
小田舞子（日経xwoman編集部）
発行者　佐藤珠希
発　行　日経BP
発　売　日経BPマーケティング
〒105-8308 東京都港区虎ノ門4-3-12
アートディレクター　今井祐介
ブックデザイン　大渕寿徳、當間京佳
イラスト　千葉菜々子
制　作　増田真一

印刷・製本　大日本印刷

ISBN978-4-296-10947-0　Printed in Japan